1

Forma y Visión de «El diablo mundo» de ESPRONCEDA

POR

JOAQUIN CASALDUERO

EDICIONES

José Porrúa Turanzas, S. A.

MADRID

Primera edición:
Insula. Madrid, 1951.

Dep. legal M. 17.121.-1975

I. S. B. N. 84-7317-052-0

PRINTED IN SPAIN
IMPRESO EN ESPAÑA

Ediciones José Porrúa Turanzas, S. A.
Cea Bermúdez, 10.-Madrid-3

TALLERES GRÁFICOS PORRÚA
JOSÉ, 10.-MADRID

INDICE

Antonio Esquivel: Reunión de literatos en el estudio del artista.

Prefacio

Una serie de guerras internacionales y civiles, un constante desorden, son la expresión de la inquietud y la inestabilidad de la sociedad española durante buena parte del siglo XIX, en su afán de encontrar la forma apropiada a la vida espiritual y a la organización del Estado. No se sabe qué sorprende más, si la desorientación y la falta de inteligencia de las clases directoras o la fecundidad y vitalidad de un reducido número de hombres que por dos veces, hacia 1833 y 1870, logran elevar el nivel espiritual y material de España (1).

Así como al considerar la historia de España de los siglos XVI a XIX tenemos que tener siempre en cuenta que su desarrollo no es semejante al de otros países de Europa pues, junto a la actividad religiosa, moral, científica, política e industrial, España se ha impuesto como tarea la de integrar el mundo, incorporando América y Asia a la civilización europea; de la misma manera hemos de tener presente, al enfrentarnos con el siglo XIX, que España lucha únicamente con la idea de salvar su personalidad histórica, y es en ese terreno como sirve de dirección a Europa y de ejemplo a la misma América que, impulsada por iguales ansias de personalidad, y no

---

(1) Véase ROBERT MARRAST, *José de Espronceda et son temps* (Editions Klincksieck. París, 1974).

por necesidades económicas, reclama y obtiene su independencia.

España salvó su independencia, después constantemente mediatizada, gracias a las nuevas fuerzas económicas e industriales que se imponen y dirigen el mundo. La singularidad de propósito de esa actividad, a la vez instintiva y consciente, llevada a cabo con una gran energía, no impidió que se dedicara a la tarea de dar una nueva forma al Estado y, aunque su anhelo liberal y constitucional fueran también para Europa ejemplo y fermento vital, al luchar con la tradición, España se divide no ya en dos campos, sino en numerosas fracciones.

Ese desgaste de fuerza que exigió la vida política explica la atonía de España en la zona intelectual y literaria hasta la muerte de Fernando VII. El esquema del siglo XIX hasta el año 1833 se presenta con bastante claridad. En los primeros ocho años todavía el espíritu de finales del siglo XVIII da excelentes frutos, aunque la Revolución francesa produce una gran alarma y si para algunos es incitación a los más les infunde temor; de 1808 hasta 1814 ha habido una gran corriente vital que anega todo lo que pudiera haber de útil y razonable en aquel reducido número de la minoría dirigente y culta que sigue fiel a las ideas del siglo XVIII. Sin relación con los afrancesados, se impone cruelmente de 1814 a 1820 la primera emigración, que continuará fuera de España la vida espiritual e intelectual; de 1820 a 1823 la emigración regresa y con ella llegan las nuevas ideas. Del 23 al 33 nueva salida, cierre de universidades, censura, que la venida de María Cristina, de una manera más bien accidental y superficial, atenúa un poco.

Mesonero Romanos, hombre ecuánime y moderado, se complace en reconocer, al cumplir los setenta años, que el tiempo pasado fue mucho peor que el presente. En un tono mesurado, lleno de buen sentido, que le atrae inmediatamente la simpatía de la posteridad como le conquistó la de sus contemporáneos, pues es un ánimo sinceramente razonable, que no oculta bajo una capa de rectitud y objetividad intenciones aviesas y mezquinos intereses, Mesonero Romanos va pasando amorosamente revista a la primera mitad del siglo XIX. Ni oculta ni mitiga lo malo, lo destructivo e infecundo, pero de sus páginas ponderadas parece quedar sólo lo bueno, las reformas útiles. Hay en él una sincera alegría al hablar de los jóvenes, y reconoce su valía y la superioridad de sus obras respecto a las de su generación. Todos lo han observado.

Cuando cita a la nueva generación, la generación romántica, aparece, es claro, el nombre de Espronceda, pero siempre en segundo o tercero o cuarto lugar. No debe sorprender que el primer poeta de esa época quede relegado a un puesto secundario, pues incluso ahora se muestra sincero el autor de las *Memorias de un setentón*. Mesonero personifica su época vista desde la prosa; contempla al hombre y la sociedad desde una perspectiva en la cual la medianía no se engrandece, pero lo grande perturba la armonía del conjunto, y eso que pretende hacer pasar sus *Escenas matritenses* por una concepción balzaciana, intención que es tanto más patente cuanto que no cita a Balzac. Proponerse como modelo al novelista francés indica lo elevado de su anhelo, pero el declararlo después de haber escrito su obra es señal, a la vez, de su sinceridad y de lo modesto de su alcance.

En el extremo opuesto a ese nivel prosaico de Mesonero se encuentra el rapto lírico de Espronceda, y la misma oposición hallamos entre la mesura y apartamiento de la política de aquél y la exaltación y constante interés político de éste.

Constante, exaltado y sincero interés político del poeta, porque Espronceda como todo romántico se mueve por dos fuerzas —el amor a la patria, el amor a la mujer— que en realidad no son nada más que las dos facetas de un mismo deseo: el de libertad. Y antes que el amor a la mujer se despertó en él el amor a la patria. En lugar de hacer observar que esa actividad política infantil tiene un aire juvenil, lo que creo que hay que notar, por lo menos lo que noto yo, es la seriedad de ese muchacho que exalta la Justicia y la Libertad, y que, desde su tierna juventud, se pone a su servicio, sin que se desmienta ni una vez, ni con hechos ni con palabras, su lealtad.

El muchacho conspira como se conspiraba en su época, como había aprendido a conspirar, pero las dos cartas que escribe desde Londres a sus padres, a la edad de diecinueve años, defendiéndose de su censura o afeándoles su consejo, tienen una gran dignidad. Dignidad y seriedad, que no dependen de la juventud o la madurez, sino de la manera de ser del individuo, y que se dieron entonces como se han dado siempre.

Carta fechada en Londres el 27 de diciembre de 1827. No. 23 Bridge Water Street, Somerstown. (Segundo párrafo): «Mi expulsión de Portugal fue motivada no por ninguna necia calaverada, sino por el honor y amor a la patria, como ha sucedido a casi todos los españoles que detestaban las intrigas». En otra carta sin fecha, pero de la misma época, dice: «También he extrañado me digan que haga una visita al Embajador, cuando deben ustedes saber que no quiero tratarme con esa gente tan opuesta a mis ideas, y además deben conocer también que el hacerlo les favorece a ustedes poco y a mí menos».

Estas cartas hablan por sí solas, pero para ver surgir la figura completa del muchacho deben leerse junto a la fechada en Londres el 28 de marzo de 1828. En ella el joven poeta se muestra ya temeroso de que su obra se pierda y les pide a sus padres que le envíen el *Pelayo* por conducto de la Embajada. Vemos cómo le aterroriza el confiar su poema a la incertidumbre del correo. Se excusa diciendo que unos amigos quieren leerlo, pero en realidad es que no tiene más remedio que dedicarse a su poesía.

Quizá el que influyó más en que se dudara de la seriedad y sinceridad política de Espronceda fue Patricio de la Escosura, quien trató, con la mejor intención, de recortar la personalidad del poeta según su propio modelo. Patricio de la Escosura no parece haber tenido una gran fijeza en sus ideas y sentimientos políticos, pero además debió creer de su deber salvar la memoria de Espronceda haciéndola entrar dentro de los cánones sociales conformistas que caracterizan el período de Alfonso XII. De aquí también que al aludir a la dolorosa relación con Teresa, fuera incapaz de situarse a la altura del poeta y lo hiciera desde un punto de vista no ya exclusivamente familiar, sino completamente burgués, preocupado sólo con la sociedad y con el único deseo de que no se hablara más de ello.

Las dos grandes pasiones del poeta, la pasión política y la amorosa, que las vive tan de acuerdo con la esencia de su personalidad, quedaron así reducidas a los estrechos límites y capacidades de otro momento y de personas vulgares.

Sin embargo, el valor de Espronceda se presentó con toda claridad a sus contemporáneos. Ya en vida impuso su personalidad, la cual nos ha sido transmitida, más que en su intimidad o su esencia, con toda clase de adherencias anecdóticas.

Espronceda tuvo la fortuna de encontrar una escuela y, lo que es igualmente extraordinario y raro, encontrar un maestro. Su educación fue breve, pero al parecer lo suficientemente intensa y profunda para recibir una excelente formación literaria. En una carta escrita cuando era un muchacho y que publico como las anteriores, copiándola de Churchman (*Revue Hispanique*, XVII, 1907), nos ha dejado un ejemplo: «Tengo el Tasso a la vista y voy a darte mi parecer sobre el poema. Mil veces lo he leído y con mucho despacio, y te aseguro que no conozco entre los modernos poeta alguno que le exceda, ni con quien siquiera poder compararle fuera del Ariosto. [Suprimo un párrafo que voy a citar más adelante.] Se le ha criticado, y a mi parecer con demasiada severidad, el abuso que comete de la máquina que ha empleado, mezclando hechicerías ridículas con los misterios más sublimes de la religión cristiana, y reservando todo el valor de su héroe Reinaldo para emplearlo en derribar árboles del bosque encantado; pero yo creo que esta crítica ha debido el valimiento que ha merecido a la gracia con que Voltaire lo dijo y a no haber sido examinado después con detención el poema. Conviniendo, como todo el mundo conviene, que en la época a que se refiere Tasso en su epopeya y al tiempo en que la compuso era general creencia que tales mágicos existían, paréceme tan absurdo el criticarle haberse valido de hechizos como lo sería a Virgilio tacharle haber usado de la mitología en su *Eneida* porque ahora no creemos en Júpiter. Reinaldo no va con el solo designio de tronchar árboles ni de deshacer encantos; va a apoderarse él solo, por decirlo así, de Jerusalén, y el allanamiento del bosque es una circunstancia accesoria, porque después le vemos escalar los muros sin necesidad de las máquinas que produce aquel desencanto. Los caracteres del generoso Tancredo, de la amable Herminia, de la voluptuosa Armida están descritos con sin igual maestría y forman un agradable contraste con los del furioso Argante, del terrible Solimán y de la animosa Clorinda; y volviendo a la introducción de los espíritus celestes e infernales y a los encantos, te aseguro de buena fe que la majestad de los primeros y la grandeza de los segundos me inspiran un religioso recogimiento y un terror involuntario que apenas puedo explicar; así como cuando me conduce el poeta a la mansión de Armida creo ver con mis ojos y tocar con mis manos los objetos del mundo ideal que con tanta magia describe. No juzgo tan bien la *Henriada* a despecho de la celebridad de su autor; acabo de leerla, y a la verdad con más cachaza de lo que hubiera querido; porque, ya sea la lengua francesa que nada tiene de épica, sea la cansada uniformidad y el pesado filosofismo de que está llena, me ha causado hastío su lectura y aun sueño. Me parecía estar leyendo un libro de moral algunas veces, y estoy creído en que no tiene de poema épico otra cosa más que ser la relación de un hecho grande e interesante. Con todo hay algunos trozos de que podría gloriarse el mejor poeta y en que se conoce el genio extraordinario de Voltaire, como son la muerte de Coligni, el discurso de Henrique IV a los suyos cuando le proclaman por rey y la muerte de Valois juntamente con la pintura del carácter fanático del asesino. Tengo para mí que si se hubiese animado más la acción por medio de un diálogo más frecuente, si hubiera desterrado la máquina de los seres alegóricos que emplea y a quienes no ha dado crédito hasta ahora ninguna superstición popular, y si fuesen más variados los pormenores, poseerían los franceses un poema épico bueno; pero por desgracia el asunto era demasiado reciente y conocido de todos para poderlo diversificar con ficciones y he aquí de donde proceden la mayor parte de sus defectos».

Con la excepción de algunas afirmaciones, que son muy de época, recibimos una gran lección literaria. Los conocimientos que muestra, sus lecturas, sin ser corrientes ni a su edad ni más tarde, no son nada extraordinario; pero todo está dicho con tan penetrante y cálida seguridad. Su educación literaria, su formación espiritual son de la mejor escuela. Esa tradición educadora se ha perdido hasta tal punto, que hoy casi no se le concede ningún valor, aunque quizá estemos ya volviendo de nuevo a ella.

Con qué inteligencia se asimila el joven discípulo las ideas del maestro, con qué personalidad y sensibilidad lee. Qué alegría debían tener esas horas de clase en que el diálogo llenaría de espiritual animación al grupo juvenil y le serviría de estímulo. Entre Alberto Lista y Espronceda hubo una relación verdadera de maestro y discípulo. A la viveza de éste, responde aquél sin pretender ahogar su personalidad. Así se logra una amistad entrañable llena de respeto y admiración. Es un cariño que todo el mundo conoce y que limita la independencia de Alberto Lista al aparecer en 1840 el volumen de *Poesías* de Espronceda. Lista comienza su artículo aludiendo a los lazos que le unen al poeta, y en seguida califica el libro de extraordinario «bajo todos aspectos». Del romance *A la noche,* dice: «es uno de los más bellos que hay en nuestra lengua. Energía y fluidez en la versificación y el sabor melancólico de la frase *y hasta el asonante* [subrayo yo] le coloca, en nuestro entender, entre las obras perfectas».

Al publicarse *El diablo mundo*, *El Labriego* del 7 de octubre de 1840 lo considera «el poema más importante publicado en nuestros días en castellano».

Pocos años después de su muerte Esquivel pintó el famoso cuadro de Zorrilla leyendo sus poesías en el estudio del pintor. Estas reuniones de artistas y escritores que nos dejó el pincel del siglo XIX son equivalentes a las enumeraciones literarias de los siglos XVI y XVII. Del valor social de esas presencias nos queda un testimonio en la sátira en verso de Martínez Villergas: *Cuadro de la pandilla*. Lo mismo que con las Antologías, ocurre con esas reuniones. Aparte de todos los motivos que puedan existir para censurar la selección, hay siempre uno poderoso: el no encontrarse entre los elegidos. Pero cesado el tumulto de actualidad, esos grupos tienen un gran encanto, que deriva no sólo de los protagonistas, sino también de los que sirven de coro y contribuyen a crear el ambiente. Esquivel ha compuesto su cuadro con un hondo sentido de espiritualidad social. Zorrilla está leyendo sus poesías y da a la reunión un elevado acento; el pintor casi en el centro, pero en el fondo, obliga a la mirada a no fijarse en un punto, sino a abarcar el conjunto, mientras que el empaque del actor, enfrente del poeta, con su elegancia un poco teatral, quita al grupo el aire íntimo y le impone, sin forzarlo, un cierto tono de solemnidad. Parece como si viéramos al verso dramatizar su lirismo y salir a las tablas, en tanto que el pintor entrega al lienzo el espectáculo que no podría existir si no hubiera oyentes, todos pendiendo de la poesía, atentos también a su papel de espectadores y al puesto que ocupan en la representación.

Presidiendo ese momento se ven dos cuadros: el

retrato del duque de Rivas y el de Espronceda. De las figuras vivas pasamos a las inmortales. No son la Musa trágica y la lírica, sino el poeta dramático y el lírico, que no simbolizan, sino que románticamente encarnan la creación del drama y del lirismo español de la época.

Pi y Margall, una de las mejores mentes y más nobles del siglo XIX, sintetiza así el movimiento romántico en España: «Espronceda fue el verdadero inventor de la espléndida y original forma de la lírica en el Romanticismo español, así como el duque de Rivas tuvo la gloria de haber acertado primero que ningún otro en la creación del drama romántico moderno» *(Historia de España en el siglo XIX*, t. VI, p. 410). Sería curioso saber si el historiador pensaba al escribir estas líneas en el cuadro de Esquivel.

El maestro e ilustre crítico, el articulista, el pintor, el historiador, todos coinciden al dejarnos la imagen situada del poeta.

El encuentro de dos poetas

Con el paso del tiempo, la vida política de Espronceda sería incomprendida por muchos; su vida amorosa quedaría reducida a lo anecdótico; su vida moral se presentaría como una paradoja: cínico ataque social en contraste con un corazón rebosando caridad y amor. Pero su actividad política, lejos de ser algo pueril, es un sentimiento esencial de su alma; su amor es una pasión trágica que tiene toda la desesperación moral del Romanticismo; y su cinismo, en lugar de ser una máscara caprichosa e inconsecuente, es la forma que adopta su desdén hacia una sociedad incapaz de elevarse al alto nivel de caridad que exige el poeta.

No hay que fijarse en aquellos que recogen sólo lo

externo de su personalidad, ni en los que únicamente se sienten desconcertados sin poder transformar su perturbación en una visión que dé sentido al marasmo de sus vidas. Afortunadamente se ha conservado toda la fuerza mágica de su voz y su presencia. Para acabar de ver a Espronceda en el medio en que vivió, nada mejor que dejarnos guiar por Zorrilla.

«Una tarde me dijo Villalta: esta noche iremos a casa de Espronceda, que ya desea ver a usted. Figúrese usted que un creyente hubiera enviado por escrito su confesión al Papa, y que Su Santidad le hubiera contestado: venga usted esta noche por la absolución o la penitencia. Esta fue mi situación desde las cuatro de la tarde, hora en que Villalta me anunció tal visita, hasta las nueve de la noche, hora en que se verificó. Yo creía, yo idolatraba en Espronceda. Si aquel oráculo divino a quien yo iba a consultar desaprobaba mis versos, si aquel ídolo a cuyos pies iba yo a postrarme desdeñaba mi homenaje, no tenía más remedio que irme a buscar a mi padre a la corte de Oñate, y suplicarle contrito que me matriculase en la Universidad de Vergara.

Villalta leyó, sonriendo, en mi fisonomía lo que pasaba en mi interior, y me condujo en silencio a la calle de San Miguel, número 4. Espronceda estaba ya convaleciente, pero aún tenía que acostarse al anochecer. Introdújome Villalta en su alcoba, y diciendo sencillamente 'aquí tiene usted a Zorrilla', me empujó paternalmente hacia el lecho en que estaba incorporado Espronceda. Yo, no encontrando una palabra que decir, sentí brotar las lágrimas de mis ojos, los brazos de Espronceda en mi cuello, sus labios en mi frente, y su voz que decía a Villalta: 'Es un niño'.

Hubo un minuto de silencio, del cual no he sabido nunca hacer un poema: Villalta se despidió y nos dejó solos; de la conversación que siguió... no me acuerdo ya: al cabo de media hora nos tuteábamos Espronceda y yo, como si hiciera veinte años que nos conociéramos; pero la luz que estaba en el gabinete no iluminaba la alcoba, en cuya penumbra no había yo todavía visto a Espronceda; 'No te veo', le dije; 'Pues trae la luz', me respondió; y trayendo yo la bujía, le contemplé por primera vez, como a la primera querida que me hubiera dado un beso a oscuras.

La cabeza de Espronceda rebosaba carácter y originalidad. Su cara, pálida por la enfermedad, estaba coronada por una cabellera negra, riza y sedosa, dividida por una raya casi en el medio de la cabeza y ahuecada por ambos lados sobre dos orejas pequeñas y finas, cuyos lóbulos inferiores asomaban entre los rizos. Sus cejas negras, finas y rectas, doselaban sus ojos límpidos e inquietos, resguardados, como los del león, por riquísimas pestañas: el perfil de su nariz no era muy correcto, y su boca desdeñosa, cuyo labio inferior era algo aborbonado, estaba medio oculta en un fino bigote y una perilla unida a la barba, que se rizaba por ambos lados de la mandíbula inferior. Su frente era espaciosa y sin más rayas que la que de arriba abajo marcaba el fruncimiento de las cejas; su mirada era franca, y su risa, pronta y frecuente, no rompía jamás en descompuesta carcajada. Su cuello era vigoroso y sus manos finas, nerviosas y bien cuidadas. A mí me pareció una encarnación de Píndaro en Antínoo: de tal modo me fascinó su belleza varonil, su conversación animada y la alta inspiración de su poesía. Espronceda sabía más que la mayor parte de los que después de él hemos alcanzado reputación..., era buen latino y erudito humanista..., era la personificación del clasicismo apóstata del Olimpo, y lanzado, Luzbel-poeta, en el infierno insondable y nuevamente abierto del Romanticismo... Espronceda era leal, generoso y bueno».

Creo que en toda la literatura española no existe otro testimonio igual a éste de los *Recuerdos del tiempo viejo*. La deificación del Poeta aparece rodeada de esa adoración que da a la admiración un tono casi femenino. El papel de ídolo que desempeña el Poeta entre los jóvenes, ese momento tan social y espiritual de lograr acercarse a la persona que nuestro sentimiento ha idealizado y glorificado, y que en la literatura española se ha expresado únicamente en la forma amorosa, Zorrilla ha sabido fijarlo con toda la intimidad y sinceridad de su sentimiento, tan leve y lleno de ternura.

Zorrilla, quizá partiendo de su espontaneidad, puede objetivar sus sentimientos. No me parece que sea por una inclinación a la anécdota por lo que relató de una manera tan realista su actuación en el funeral de Larra. Ese momento de tanta importancia en su vida se debía a algo puramente accidental. No se trata, es claro, de que su poesía estuviera escrita de encargo y para ganar algún dinero, ni de su ida al entierro, ni de la circunstancia de la lectura. Hay algo en Zorrilla que en la misma medida que le dirigía a su tríada —Espronceda, García Gutiérrez, Hartzenbusch— le alejaba de Larra. La capacidad crítica de Larra, de una pasión fría, con una sabiduría resuelta ya en ironía, de un sentido tan profundo de lo literario y de tal conocimiento del hombre y de la sociedad, producía respeto, pero no despertaba entusiasmo en Zorrilla, quien no necesitaba un apoyo intelectual, sino un amparo sentimental que le compensara de la pérdida del afecto paterno. Zorrilla va en busca de un hermano, cuyo amor fraterno sustituyera la tiránica incomprensión del padre.

De aquí que el encuentro de los dos poetas —emoción de la noticia, intimidad sobrecogedora de la presencia, amorosa descripción física, encuadramiento cultural y moral— esté contado con esa sencillez conmovedora, que deja al descubierto su corazón y al mismo tiempo revela el sentimiento que siempre ha tenido de lo que es el poeta y el artista.

«*El diablo mundo*»

El largo poema de Espronceda se presentó al público con un prólogo de Ros de Olano que orientaba muy bien al lector, al cual le mostraba ya la diferencia con el *Fausto* de Goethe. Hemos de admitir que las ideas de Ros de Olano son exclusivamente suyas, pero tenemos que pensar que las discutiría con el autor, y podemos muy bien imaginar a los dos amigos dialogando sobre el poema y su protagonista, conscientes del peligro que había de que se pensara en Goethe. En una cita que no he logrado ver en su texto original, pero que he encontrado en Cascales y también en Rodríguez Solís, Francisco Pi y Margall indica con exactitud la diferencia entre *El diablo mundo* y el *Fausto:* «éste es el poema del individuo y aquél el de la especie». Y podemos estar de acuerdo con Pi y Margall al negar la influencia de Byron, si se refiere a la concepción y totalidad del poema, pero no por lo que respecta a la formación poética de Espronceda, pues lo que fue Lista en su formación intelectual, lo fue Byron en su formación romántica. Por lo que se refiere a *El diablo mundo,* incluso el ataque a Toreno sería incomprensible sin el ejemplo y estímulo del poeta inglés.

Desde Ros de Olano a Pi y Margall, ha habido toda una corriente crítica que ha sabido leer y que ha puesto al lector en el buen camino; también ha existido la que le ha desviado: Escosura y Valera son un ejemplo. De una manera muy típica de la segunda mitad del siglo XIX, se dedican a descomponer el poema. Incapaces de verlo en su totalidad orgánica, pueden fijarse sólo en detalles; reducen el poema a una serie de episodios, encuentran bellezas aquí y allí; se les escapa por completo el conjunto y entonces niegan que haya unidad en la obra. No pudiendo captar el sentimiento, la idea, la forma, no ven que aquello que descomponen, el poeta se lo ofrece compuesto. Quizá la raíz de esa actitud crítica estaba en el método analítico, que tomaban prestado de la ciencia. Hoy, al describir una obra, hasta en el menor detalle, estamos siempre pendientes del conjunto, de la totalidad. Es la forma total lo que tiene sentido, hasta el punto de que si se aísla un detalle se le ve organizarse inmediatamente en un todo; pues un detalle, un episodio lo son en cuanto forman parte de un todo, de presentarse por separado pierden inmediatamente esa cualidad. Entonces lo burlesco puede aparecer trágico, lo lírico puede adoptar una forma dramática; los valores de relación y proporción se ocultan o cambian, se pierde con la forma el sentido.

Además, un naturalista de una vértebra reconstruía todo el esqueleto, mientras que la crítica literaria analítica desmiembra el cuerpo y luego niega que el cuerpo exista. Es claro que eso no quiere decir que admitamos las restauraciones; si una obra llega a nosotros mutilada, nos resignamos a la mutilación. Algo tan malo como la desarticulación de una obra son esas restauraciones, también muy siglo XIX, forzosamente aproximativas. Con una aproximación que no nos acerca, sino que nos aleja por completo de la obra. El menor cambio transforma por completo el equilibrio, el ritmo de un poema. Hemos de aceptar una obra en el estado en que nos la entrega el autor o tal como la encontramos en la historia.

La belleza, el sentido, la forma de una ruina son una realidad, que podemos gozar y comprender siempre que no la confundamos con un edificio terminado. Y hemos de diferenciar la ruina, la mutilación, efecto del tiempo, de la obra inacabada y del fragmento. Son cortes distintos, de calidad muy diversa.

El 'fragmento' romántico

El diablo mundo está formado por una Introducción y seis Cantos, el segundo de los cuales es el dedicado a Teresa. Este canto segundo tiene una nota del poeta en la que se dice que es un desahogo del corazón, que el lector si quiere puede dejar de leer, «pues no está ligado de manera alguna con el poema».

Advirtamos en seguida que es este canto, el Canto a Teresa, el cual el poeta sintió la necesidad de incluirlo en el poema, en el mismo comienzo del poema, el que ha penetrado más profundamente en la intimidad del lector. *El diablo mundo* ha quedado inconcluso. Así el poema se presenta inmediatamente al lector en estado fragmentario y con un canto, el Canto a Teresa, sin trabazón lógica con el conjunto. El poema, pues, desde un punto de vista formal nos entrega al instante dos características esenciales: 1) es un fragmento y 2) no está organizado lógica, discursivamente.

La forma romántica es la forma de *Fragmento* —palabra que referida al Romanticismo debe ser utilizada en un sentido técnico.

La crítica y la parodia que se hizo del Romanticismo achacando a los escritores de esa época que no sabían lo que querían decir o lo que iban a decir y que les bastaba poner a sus elucubraciones el título de «Fragmento», creyendo así salir del paso, eran completamente exactas, pero no tenían el sentido negativo y por lo tanto superficial que se les daba. La obra romántica, ya sea una exultación o una queja, es siempre un grito del alma que da el hombre perdido; por eso no nos conduce a un desenlace, porque no hay camino, ni propósito ni finalidad. La angustia del hombre romántico es saber que no sabe lo que va a decir, que la única manera de poner un fin a la acción es suicidándose: presentar la vida como un fragmento.

La 'digresión' en el romanticismo

Si la falta de finalidad impone el fragmento, la ausencia de dirección exige que la armazón lógica sea sustituida por la estructura sentimental, es decir, por la digresión. Toda obra cristiana tiene una forma digresiva. La digresión forma antes del Romanticismo como una red que abarca todo el conjunto y que contribuye siempre en la Edad Media a presentar intelectualmente el sentido del poema, el sentido del mundo; suprimir una digresión, un episodio, es omitir un aspecto de la obra. El poema podrá sostenerse o no, pero siempre cambia. En el Barroco, nos dice Berganza: «porque si dejase de decir las cosas que en este instante me han venido a la memoria de aquellas que entonces me ocurrieron, me parece que no sería mi historia cabal ni de fruto alguno». Con la digresión se explora en todas las direcciones y se mantiene al hombre firmemente orientado hacia Dios. De la inmensa variedad necesaria en que podríamos perdernos, condenarnos, se nos conduce, por vía intelectual en el Gótico, por la vía afectiva en el Barroco, a la unidad, al orden de la salvación.

En el Romanticismo, por el contrario, la digresión es completamente innecesaria para la inteligencia del poema; por eso advierte Espronceda de su Canto II: «sáltelo el que no quiera leerlo sin escrúpulo». Pero el poeta ha sentido la necesidad de incluirlo en su poema, lo ha puesto en su poema, y ese canto, ese grito de angustia nos sitúa en el acto. Nos sitúa sin darnos una dirección, lo mismo que en el bosque cuando oímos una voz que pide socorro, una voz que nos llama sin decirnos dónde está. Voz que hace presente el dolor, la miseria humana y que no nos da una dirección, no nos revela un sentido, pero que se apodera de nuestro corazón. El náufrago siente la necesidad de lanzar su grito, que quedará sonando para siempre en quien lo oiga. Espronceda ha sentido la necesidad de crear el Canto a Teresa y de incluirlo en el mismo comienzo del poema. Ese canto es el esencial, es el que está dando la tónica a toda la obra, es el canto que una vez leído no se puede olvidar.

De aquí que de las tres formas que constituyen el poema, la narrativa, la dramática y la lírica, sea esta última la que dé carácter a *El diablo mundo,* la que se impone a las otras dos.

El ritmo sentimental

El poeta anterior al Romanticismo disponía de tres estilos —elevado, medio o bajo—, que utilizaba según el asunto o los personajes lo requerían. En el Romanticismo estos tres estilos quedan reducidos a dos: o el vulgarmente trivial (vulgar y trivial en el vocabulario, la rima y el ritmo) o el líricamente apasionado, y la elección de estilo no depende ni del asunto ni de los personajes, se adapta y conforma al sentimiento del poeta en el momento en que escribe.

Por eso el poeta romántico sustituye la *armonía imitativa* por la *armonía del sentimiento,* según explicó muy bien Ros de Olano en el Prólogo con que presentó al público la Introducción y el Canto I de *El diablo mundo.*

Ros de Olano dice: «Antes la armonía imitativa estaba reducida a asimilar en uno o dos versos el galopar monótono de un caballo de guerra, por ejemplo, y hoy nuestro poeta expresa con los tonos en todo un poema no sólo lo que sus palabras retratan, sino hasta la fisonomía moral que caracteriza las imágenes, las situaciones y los objetos de que se ocupa. Esta es la armonía del sentimiento». Pero ya Espronceda, en la carta que acabo de citar, carta que es un documento precioso, pues nos revela lo que él buscaba y encontraba en la poesía, nos dice, refiriéndose a Tasso: «Sus versos, llenos de fuerza y de armonía, se pliegan a los asuntos que trata con facilidad como la música de Rossini a los afectos que intenta conmover en el alma (2); y se les ve correr plácidos y vigorosos, ya suavemente deslizarse, ya detener su carrera lentos y delicados. En la sublime descripción del infierno y en el discurso que pronuncia el monarca de las dominaciones rebeldes, su cadencia es tan opaca y pavorosa como las horrorosas y lúgubres mansiones que pinta; en las batallas van tan rápidos como lanza arrojada por el brazo de su Reinaldo; y en el episodio pastoral de Herminia, en la afectuosa muerte de Clorinda y en la pintura del palacio de Armida llevan tanta dulzura y terneza que nada he leído hasta ahora que se le iguale.» No nos detengamos en la alusión a algunos temas del poema italiano —infierno y discurso, batallas, palacio—, que Espronceda recordará, como es natural, al escribir el suyo; vengamos a la descripción del verso de Tasso que nos da a conocer su sentimiento rítmico; su referencia a Rossini nos indica

---

(2) Compárese «L'orgie scule deploya sa grande voix, sa voix composée de cent clameurs confuses qui grossissent comme les crescendos de Rossini.» Cap. XII. BALZAC, *La peau de chagrin.*

cómo asocia el verso a la música. Ese plegar el ritmo al sentimiento, que es como lee ese muchacho, es lo que hará el poeta cuando nos lleve de un movimiento descendente a uno ascendente o de un fortísimo a un pianísimo; comunicándonos la exaltación y el desfallecimiento, la furia de la pasión y la soledad de la juventud con luces de atardecer, la ternura sorprendida en ese momento de hacerse voluptuosidad, la estela del recuerdo, el manantial secreto del corazón o el cansancio de la historia, el estar cansado de su nombre. Las sílabas, el acento prosódico y el rítmico, las pausas, los silencios, todo colabora a hacer del movimiento del verso algo casi fisiológico.

La poesía de Tasso no debe leerse como la leía Espronceda, pero *El diablo mundo* sí que debe leerse ateniéndose a la descripción que nos ha dejado el poeta. Porque antes del Romanticismo el poeta se esfuerza en hacer entrar su sentimiento en una forma rítmica dada, pero el poeta romántico se propondrá exactamente lo contrario: expresar en una cantilena melancólica el ritmo único de un sentimiento personal.

Precisamente la digresión romántica tiene una triple función: o (1) sirve para expresar la superioridad del sentimiento sobre la forma, o (2) la soledad y agotamiento histórico del poeta, o (3) es un lírico acompañamiento a su dolor; en cualquiera de sus papeles, la digresión está mostrando cómo el romántico pone la vida, esto es, el sentimiento personal por encima de la obra.

La descripción romántica

El arte de esa época pudo ser calificado, a veces irónicamente, de descriptivo, pues concedió a la descripción una gran autonomía, presentándola frecuentemente, lo que le daba un tono especial, acompañada de una comparación, que la sostiene o bien con una nota real gracias a la cual podemos penetrar en el mundo de la fantasía o en el mundo de los sentimientos, o bien una nota fantástica que nos libera del mundo de la realidad, de aquí que a menudo dé lugar a una antítesis.

La descripción romántica no sólo se diferencia de la realista y de la naturalista por actuar muchas veces en el medio de la fantasía, sino por ser una descripción o vaga y confusa, o rápida y a grandes rasgos. Por eso el realista y el naturalista tuvieron que considerarla superficial. A la vaguedad y confusión del Romanticismo, el Realismo y el Naturalismo querían oponer la precisión. Y mientras el romántico temía que el pormenor hiciera desaparecer la belleza y sobre todo la bondad del mundo, el realista y el naturalista trabajaban acumulando detalles. El impresionista tampoco podía apreciarla, pues él no se proponía abarcar una inmensa extensión del mundo moral y físico, como el romántico, sino captar intensamente la vibración momentánea de la realidad, sustituyendo la descripción por la notación alusiva y evocadora. El romántico, repetidamente, en lugar de crear la música de su mundo se contenta con describirla, cuando el impresionista lucha no por darnos la palabra, sino la música de la palabra.

La vaga descripción romántica de Espronceda se construye casi exclusivamente con dos sentidos: el visual y el auditivo, que son los instrumentos gracias a los cuales el sentimiento puede captar el mundo. En el Romanticismo no encontramos ni el propósito de observación costumbrista y pintoresca del Realismo, ni la intención sociológica y científica del Naturalismo, ni tampoco el libre juego de sensaciones del Impresionismo.

Este, además, busca siempre analíticamente la calidad y trata de la misma manera la sensación que el sentimiento, lo que le permite transformar un valor en otro; el Romanticismo, en cambio, permanece siempre dentro del mundo de la cantidad y hace de los sentidos el elemento suscitador del sentimiento. Ver, oír, sentir: así elabora Espronceda la descripción para dar forma a su visión y a la realidad.

Si uno de los motivos centrales del alma romántica es el de la simultaneidad —tristeza en la alegría, luz en la oscuridad—, que obliga al poeta a recurrir constantemente a la antítesis, la angustia esencial reside en el sentimiento de temporalidad, lo que hace que esté constantemente sometido a la emoción de lo sucesivo.

Los dos polos del poema

El diablo mundo está formado por una visión y un ver. La visión es un doble nocturno: la noche del Poeta (Introducción) y la noche del viejo caduco que encarna y encierra la humanidad (Canto I).

En la Introducción el Poeta tiene la revelación de las fuerzas demoníacas en libertad, que arrastran consigo a los genios destructores de la Naturaleza y del Hombre. Esa visión nocturna se llena de color al aparecer la figura del Rebelde. El romántico no es un titán, es un rebelde. Para el titán lo esencial es el acto creador, el rebelde se agota en su propia rebeldía. La rebelión expresa ya totalmente su personalidad, su deseo de ser él, su sentimiento adámico, esa necesidad de lo nuevo, esa necesidad de ser el primero, que es una manera de ser único. El hombre romántico no quiere ser un Fausto, sino un Adán; quiere libertarse de ese obstáculo que encuentra siempre en su camino: la historia, el pasado, el sentimiento de la culpa. Quiere librarse de la memoria que le sujeta y tortura, quiere matar el recuerdo que encadena al presente en su temporalidad.

De ese nocturno del Poeta pasamos al nocturno del hombre. En la noche del hombre se cruzan dos ritmos: el tiempo y un anhelo sin fin. Cogido en el tormento de esa angustia, intuye el hombre la esencia del vivir: el constante tejer y destejer de la muerte y de la vida, que hace que el mundo sea sólo un reflejo de la conciencia del hombre. Espronceda no parte de un pacto fáustico que extiende diabólicamente los límites del hombre; su mundo no se basa en un acto de voluntad, sino en un hecho de conciencia. El hombre se encuentra manejando algo que no es suyo y que sin embargo constituye su esencia: la vida. El individuo quizá tenga la limitada libertad de cesar o continuar viviendo, pero la especie no; la vida impulsa a vivir. El viejo no elige entre la vida y la muerte; ésta le atrae con el consuelo de la nada, aquélla le arrastra con su variedad deslumbrante de creación.

La visión del Poeta es una visión imaginativa; despierto, penetra en el secreto de la noche para arrancarle el ritmo que encierra. La visión del hombre es una visión sentimental y pasiva; soñando se le abren las dos perspectivas opuestas, la que le lleva al reposo de la nada y la que mantiene siempre encendido su deseo por medio de la insatisfacción.

Las dos melodías de la vida

A este doble nocturno le siguen el Canto a Teresa —la vida de Espronceda— y los cuatro últimos cantos del poema que cuentan la vida del hombre. Vivir es sentirnos dominados por dos fuerzas contrarias que emanan ambas del corazón, por dos sentimientos: el de limitación y el de desbordamiento. Sentirse atraídos por la mujer que nos aísla y fija en el presente y por el deseo de realizar el propio yo, que nos sitúa en el mundo y nos conduce al futuro. El dolor romántico tenía que concebir la tragedia líricamente, porque no se trata de un conflicto que dé lugar a la acción, sino de la esencia del ser. La sinfonía de los cuatro cantos está formada por las dos melodías del Mundo y la Mujer, que convergen en el hombre, el cual está sometido a la ambición insaciable y al misterio.

El Romanticismo descubre el triángulo fatal, el formado por la mujer, el hombre y los sueños, o el formado por el mundo, el hombre y el misterio. La esencia del ser la constituyen dos elementos antagónicos pero inseparables. No es que el alma se oponga a la materia o que el olvido se oponga a la memoria. Es que para que haya olvido tiene que haber memoria. No es que la vida se oponga a la muerte, sino que no hay vida sin muerte, que muerte y vida son la esencia del hombre, que se vive para morir. El romántico no vive como el cristiano para volver a vivir. La muerte es una noche oscura en la cual desemboca la vida. Como de la pureza se cae en lo impuro, y de la ilusión en la realidad, y de la dicha en el dolor, así de la vida se cae en la muerte.

El diablo mundo comienza con la visión del Poeta y la visión del hombre. De estos dos nocturnos en que se capta la esencia del hombre —rebeldía— y la esencia del vivir —tejer de la vida y de la muerte—, pasamos a la vida de Espronceda y a la del hombre, pasamos al mundo y a la mujer, a la crueldad y al amor, a la belleza y al lujo, para ir a ver una noche en una casa de prostitución lo que es el placer y en qué termina la vida.

En esa noche de la realidad el poeta nos abandona. En el punto en donde nos deja el poeta romántico, nos recoge el poeta realista.

Estos son los dos polos del poema: el nocturno de la fantasía y la noche de la realidad; una visión y un ver. En la nota del poeta al Canto a Teresa encontramos el sentido de ese canto en el poema: tiene una función sentimental. La vida no se capta simbólicamente; no es la expresión de un sentido religioso o filosófico, como *Los trabajos de Persiles y Sigismunda* o *La vida es sueño*. Se aprehende la vida por medio de la historia, de la propia experiencia. El poema debemos leerlo desde nuestra vida, por eso podemos saltar el Canto a Teresa. No necesitamos apoyarnos en la vida del poeta, basta con que confrontemos en nuestra propia vida nuestra ilusión de Justicia y Virtud, de Valor y Fe, de Amor y de Pureza con la realidad, para que de esa confrontación, de ese choque surja la ironía romántica —forma de la desesperación, que impone el suicidio—. El cadáver romántico es un testimonio de la falta de sentido de la vida.

Visión del Poeta

INTRODUCCION

Liberación de las fuerzas demoníacas

La Introducción (versos 1-651) empieza con un coro de demonios. Los diablos han roto su triste cárcel y celebran un festín. Es una canción marinera —imagen de la barca y la acción: bogar; un medio cósmico: nubes, aire, llamas, tinieblas, mar—.

Los diablos cruzan el confín del mundo y por un momento al menos se sienten libres. Celebran su libertad comiendo y bebiendo y con música y estruendo.

Son dos estrofas, la primera de siete versos hexasílabos, y la segunda de ocho versos, los dos primeros de seis sílabas y los restantes de ocho. En la primera estrofa sólo riman el cuarto y el sexto: *nieblas-tinieblas*. El segundo y el séptimo son agudos en consonante: *empujad-mar*. Los otros versos terminan en *-s*. Es una *s* colectiva y de plural: boguemos, nubes, que también se da en la primera mitad del verso: los aires, las densas, las olas.

En la segunda estrofa riman el segundo, el cuarto y el octavo: agudos en *-ín;* y el tercero y el sexto, llanos: *quiebran-celebran;* el quinto y el séptimo, llanos en vocal: *estruendo-bebiendo*. Las dos estrofas se enlazan por medio de la rima de los primeros versos: *boguemos-crucemos*.

Del sonido sordo de la *-s* pasamos al sonoro de la *-n*, reforzado a veces con una dental. Los agudos de la primera estrofa dan la sensación de esfuerzo y de cantidad inmensa, mientras que los de la segunda, que riman entre sí, nos producen un sentimiento de huida y desencadenado estruendo. Al trasladarnos de la zona tumultuosamente apagada de la primera estrofa a la zona sonora de la segunda, no nos situamos en un medio de plenitud exaltada, sino en una vibración relampagueante y estridente. Esa disonancia, esa antítesis no quiere crear un mundo luminoso. La rima de la segunda estrofa es el acento del murmullo sordo y ensordecedor del impulso de la primera:

Boguemos, boguemos,
La barca empujad,
Que rompa las nubes,
Que rompa las nieblas,
Los aires, las llamas,
Las densas tinieblas,
Las olas del mar.

Boguemos, crucemos,
Del mundo el confín;
Que hoy su triste cárcel quiebran
Libres los diablos en fin,
Y con música y estruendo
Los condenados celebran,
Juntos cantando y bebiendo,
Un diabólico festín.

El desplazamiento del acento que tiene lugar al dejar el ritmo de seis por el de ocho nos da el resquebrajarse del muro impalpable y mental.

Nocturno del poeta

La liberación de los demonios se traduce en sonido y el Poeta es el primero que lo oye como un rumor que suena lejos y que ha interrumpido el silencio de la noche serena y negra. El Poeta al oírlo inquiere su origen; necesita acudir al caballo, a la fiera, al aquilón, al trueno, al mar:

> ¿Qué rumor
> Lejos suena,
> Que el silencio
> En la serena
> Negra noche interrumpió?
>
> ¿Es del caballo la veloz carrera,
> Tendido en el escape volador,
> O el áspero rugir de hambrienta fiera,
> O el silbido tal vez del aquilón?
>
> ¿O el eco ronco de lejano trueno
> Que en las hondas cavernas retumbó,
> O el mar que amaga con su hinchado seno,
> Nuevo Luzbel, al trono de su Dios?

Ese rumor es como la voz de la Musa. El Poeta es el poeta que se presenta en trance, en el momento de la inspiración. Le sorprendemos en el momento mismo de ser cogido por un ritmo. El silencio de la noche ha sido interrumpido por ese tumulto, que su oído —únicamente el suyo— capta en forma rítmica. Las sensaciones auditivas van transformándose en visuales. Conducida por ese movimiento orquestal, la fantasía ve surgir formas vagas y vaporosas en un medio de niebla, cuya indeterminación está al servicio del movimiento, del remolino, del desaparecer y el tornar, en una palabra, de la agitación, que más que con los ojos se capta con todo el cuerpo: es el equivalente visual del ruido. Confusión auditivo-visual que expresa el dramatismo de la noche de Walpurgis. En ese aquelarre, entre rayos y estruendo, el poeta ve cruzar rápida e indistintamente dos genios: el genio destructor de la Naturaleza (vs. 90-91) y el genio destructor del Hombre (v. 100). El verso y la estrofa sumisamente han ido a la deriva del sentimiento, se han adaptado al desarrollo rítmico ascendente y descendente del cauce físico-psíquico, y han captado el espacio entre el arriba y el abajo, el allí, el aquí, el allá y el acá. Como al movimiento ascendente le sigue otro descendente, de la misma manera al estrépito le acompaña un susurro, un pianísimo de suspiro. Creo que los versos 154-155 deben leerse de tal manera que la premura del ritmo se vea sustituida por una lentitud que destaque muy bien los acentos y que dé un gran valor a las pausas. Como en los primeros veintiocho versos, la irregularidad de la serie estrófica continúa hasta el verso 155, empleándose la medida de cuatro, doce, ocho, seis, doce y ocho sílabas.

El poeta no está dando forma a la confusión. Ha sido cogido por la corriente y se ve arrastrado por ella. El Romanticismo no objetiva los sentimientos. El poeta romántico no vive una experiencia formal. Quiere presentarnos lo viviente. Así, a través de los sentimientos llegamos a la forma, lo inverso, precisamente, del arte anterior que por medio de la forma nos conducía a los sentimientos.

Al vivir las pasiones en el arte de otras épocas, nuestro cuerpo se siente ajeno; en cambio en el mundo romántico intervenimos físicamente. Espronceda ha dado forma a su visión viviéndola, y nosotros la formamos al vivirla con él. De tanta agitación, el poeta sale cansado y con él el lector. La función del poeta romántico no consiste en dominar, sino en ser dominado. Y como esa bacanal no es nada más que un compendio del mundo, el poeta se ve inmerso en un torbellino sin sentido:

> Y aturden, turban, marean
> Tanta visión, tanto afán.
> (vs. 154-155)

El poeta no va a contemplar la vida, va a vivirla, y exactamente en ese estado psíquico-físico y espiritual: aturdido, turbado, mareado por esas sensaciones y sentimientos que perturban su organismo y su ser.

El destino del hombre

Coros y voces. Primero, alternan tres coros y tres voces; luego se oyen ocho voces. Otra vez la imagen de la nave, ahora para expresar el destino humano y la trayectoria de ese destino. Los coros nos dicen que la vida —la nave— va impulsada por dos fuerzas —el viento, el mar—: el deseo de poseer la verdad y la seducción de la mentira. Con la mentira aparece la imagen del cristal.

Las voces expresan la inmutabilidad del destino y ese deseo de captar el mundo por medio de la inteligencia y de los sentidos, captar lo permanente y lo cambiable. Pero la última voz no sólo afirma su anhelo de ir tras la mentira: el mundo del placer y de la felicidad es el mundo de lo aparente; la verdad es triste:

> Feliz a quien meces,
> Mentira, en tus sueños,
> Tú sola halagüeños
> Placeres nos das.

¡Ay! ¡nunca busquemos
La triste verdad!
La más escondida
Tal vez, ¿qué traerá?
¡Traerá un desengaño!
¡Con él un pesar!

Las ocho voces siguientes trazan la escala lírico-dramática del desarrollo de ese deseo, de ese destino del hombre. La primera voz, el anhelo de gloria: «Yo combato por la gloria». La segunda, de poder: «Yo levantaré un palacio». La tercera, de amor: «Venid, hermosas, a mí». La cuarta voz es el clímax: el hombre a punto de realizar su anhelo:

Venid, empujadme,
La cima toqué,
Subidme, que luego
La mano os daré.

La quinta voz, la caída: «¡Ay! yo caí de la elevada cumbre». La sexta voz pinta al hombre como un galeote de su destino: «Errante y amarrado a mi destino». El hombre romántico al sentirse perdido y solo en el mundo («vago solo y en densa oscuridad») ve la vida como un continuo recomenzar; ahogado en el mundo cristiano, vuelve a encarnar el mito de Sísifo. Las dos últimas voces encierran en su canto el doble elemento del desenlace de este destino: la alegría con que quiere embriagarse y olvidar y el lamento de queja y dolor.

Para el hombre romántico llegar a la cima («la cima toqué») no quiere decir haber alcanzado lo que se proponía, sino estar en el punto máximo de la curva de su destino. Su impulso, su energía le lleva hasta una cierta altura; al no conseguir sobrepasarla, no puede mantenerse en ella. El romántico sólo puede permanecer erecto tendiendo hacia arriba, su equilibrio depende de su velocidad. Ni llega a la cima, ni llega a su cima, llega a una cima y llega para caer. No es un deseo de mayor perfección (Impresionismo), sino su sed insaciable lo que impone a su vida un curso solar, que se traduce en el doble movimiento de ascenso y descenso: curso solar y curso fisiológico. Al contemplar el eterno retorno, la eternidad del tiempo, la fuerza que le impele, busca el descanso del olvido o se deshace en llanto. Olvidar es su único consuelo, o dejar correr sus lágrimas desesperadas.

Así tenemos al hombre romántico: o bien arrastrado por la fuerza de sus pasiones, de sus deseos, de sus ansias, o atormentado por el recuerdo, o convertido en un clamor (vs. 156-229. Estrofas de versos de seis, ocho, seis, once, seis y ocho sílabas).

El poeta y la realidad

En la noche negra, en medio del aquelarre donde se han destacado la fuerza destructora de la naturaleza y la Guerra, el Poeta ha oído el destino del hombre en forma de clamor: «¿Nadie escucha mi clamor?»

La visión se esfuma, cesa el grito para que el Poeta se vea cogido en un torbellino de interrogaciones en medio del cual pierde todo conocimiento de la realidad:

> ¿Dónde estoy? Tal vez bajé
> A la mansión del espanto,
> Tal vez yo mismo creé
> Tanta visión, sueño tanto,
> Que donde estoy ya no sé.
>
> . . . .
>
> ¿Quiénes sois, genios sombríos
> Que junto a mí os agolpáis?
> ¿Sois vanos delirios míos,

O sois verdad? ¿Qué buscáis?
¿Qué queréis? ¿Adónde vais?

El rebelde

Pero súbitamente (vs. 245-311) contempla una catarata de fuego que se despeña con furor y se precipita en el abismo. En medio de esa roja inmensidad, azotada por olas de fuego, aparece una figura negra de colosal tamaño:

Océano inmenso volcado
Rojo los aires incendia,
En tumbos arrebatado
Recia tormenta lo trae.

Y en medio negra figura
Levantada en pie se mece,
De colosal estatura
Y de imponente ademán.
(vs. 257-264)

Es el Luzbel romántico. Sobre los rojos una forma negra con serpientes por cabellera. Si su tamaño es colosal, su ademán es imponente y su boca como un cráter. Lo importante es que se señale también esa parte del cuerpo que es siempre la que ve el Romanticismo: la frente. Es el acento de la figura humana, no como sede de la razón o de la inteligencia, sino del pensamiento. Para el romántico, el cuerpo se mueve por el corazón, y su actitud abrumada y melancólica la señala la frente. Sobre la frente de Luzbel silban las serpientes. Está rodeado de un hirviente séquito, que se agita entre el fuego y el vapor.

Del verso de ocho sílabas en octavillas italianas, pasamos al de seis para captar la movilidad de duendes y trasgos, luego volvemos al de ocho, yendo a dar al endecasílabo, que se encadena por un momento en serie con rima consonante y asonante hasta entrar en la octava. El verso corto va acompañado de acentos agudos y esdrújulos.

El color —negro sobre rojo—, el tamaño colosal, el gesto. Pero no hay ningún titanismo. La cultura cristiana europea se recoge en la figura titánica: Goya, Goethe, Napoleón, en la voluntad individual creadora que se opone al caos. El titán no se mueve en la sociedad, sino en el cosmos. El yo titánico está dispuesto a dominar y domina con su energía creadora el desorden del mundo. El Romanticismo sustituye el impulso titánico creador por la figura gigantesca también del rebelde. Lo característico del titán no es su acto de rebeldía, sino su voluntad de creación.

La aparición visual luciferina tiene un acompañamiento auditivo, sonido que Espronceda califica: monótono. Se hace el silencio:

> Tendió una mano el infernal gigante
> Y la turba calló, y oyóse solo
> En silencio el estrépito atronante
> Del flamígero mar: luego un acento
> Claro, distinto, rápido y sonoro
> Por la vaga región cruzó del viento
> Con rara melancólica armonía,
> Que brotaba doquiera,
> Y un eco en derredor lo repetía.
> (vs. 295-303)

Adviértase cómo el poeta romántico aun más que crear su propia música desea describir sinfonías de mundos fantásticos. Esa materia sinfónica la necesita para plataforma cósmica de su Luzbel.

Se hace el silencio y la inmovilidad. Luzbel es el

orador romántico. Se dirige a la muchedumbre, que en realidad no es otra cosa que la exteriorización de las innumerables inquietudes que pueblan su mente y su corazón; de aquí que el discurso romántico adquiera ese carácter de soliloquio. El oyente es el mismo que habla, cuya palabra es un lamento, una protesta y una queja; si puede decirla es porque su sufrimiento embriagador encierra un dolor colectivo. De su corazón se derrama el dolor de todos los hombres. La figura titánica está sola y distante con su facultad creadora, es el guía y el jefe a quien los mismos que le siguen sólo pueden contemplar de lejos; tienen que resignarse a no comprenderle o a comprenderle mal. La única actitud posible para la muchedumbre ante la figura demiúrgica es transformar el terror que inspira su genio, su presencia, su mirada, en adoración. El rebelde está inmerso en la muchedumbre, forma parte de ella, sobresale como la ola en un mar tempestuoso.

Acento y voz románticos

El acento es claro y distinto, sonoro y rápido, tiene una «rara melancólica armonía». Los calificativos de su voz son: admirable, vaga, misteriosa, dolorosa; es una «voz de amargo placer», que llega de la altura, se la oye crecer, por fin vaga en el silencio; es un portento mágico e incomprensible, que recuerda al alma conmovida la perdida ilusión y el pasado bien. Ilusión y bien que son el paraíso perdido del Romanticismo: la capacidad estabilizadora de la energía, el poder pasar de la acción al acto.

No sólo por la importancia que le concede Espronceda hemos destacado la voz y el acento románticos, sino para hacer notar que durante todo el siglo XIX, especialmente en el Romanticismo y en el Impresionismo, la palabra cede su puesto a la voz, ya que el signo intelectual se transforma en instrumento conmovedor, llegando el que habla a poner su atención más en oírse que en lo que dice, arrastrado por la música de su voz.

La queja y la interrogación románticas

La voz y el acento sostienen un doble lamento. El primero es como el recuerdo del amor pasado, con el segundo comienza la queja romántica: haber nacido para padecer y maldecir, sufrimiento e inconformidad por no poder cumplir el deseo de que se es víctima:

> «¡Ay!» exclamó con lamentable queja,
> Y en torno resonó triste gemido,
> Como recuerdo que en el alma deja
> La voz de la mujer que hemos querido.
> «¡Ay! ¡cuán terrible condición me aqueja
> Para llorar y maldecir nacido,
> Víctima yo de mi fatal deseo,
> Que cumplirse jamás mis ansias veo!»

Ese deseo consiste en querer saber quién es Dios, dónde está. Al doble lamento le sigue la doble interrogación. Después de imaginarse el trono de Dios («Rayos de luz perfilan y abrillantan/nube de incienso y trasparencia llena»), las interrogaciones se suceden tratando de penetrar el misterio secreto de la divinidad? ¿Es un Dios vengativo? o ¿el Dios que arranca la esperanza? o ¿el que ha abandonado su creación? o ¿el que no ha tenido compasión del hombre? Aun se pregunta si no será el espíritu secreto del mundo o quizá la misma inteligencia del hombre luchando siempre con la materia. Por eso llega a pensar que acaso esa divinidad está oprimida por otra que la esclaviza con su inercia. Las dos últimas octavas son un constante estremecimiento ante la vida del universo y su destino.

Las preguntas de las octavas conducen a un romance en *o-e;* la asonancia de hombre, desconoce, proponen, y de ilusiones, amores, goces, dolores, rencores, furores, maldiciones, temores. La rima consonante ha ido martilleando el movimiento interrogativo, breve a veces, otras abarcador de toda una octava; las preguntas han ido acumulando la ira sin esperar ninguna respuesta. El orador se ha ido enardeciendo hasta llegar a un punto máximo de indignación del cual se cae en una pausa. En el silencio se van recobrando las fuerzas agotadas y poco a poco se va entrando en el romance. Hay un contraste entre los dos ritmos, que la asonancia tras la consonante hace aún más fuerte.

Si las octavas han inquirido el ser de Dios, el romance se afana por averiguar la esencia del demonio, que acaso no es otra cosa que el mismo espíritu del hombre, el cual se remonta («Cuando remonta su vuelo») con el ansia de conocer a Dios y se hunde («Y otra vez se hunde conmigo») en las tinieblas de la desesperación al no conseguir descubrirlo. El demonio lo ha engendrado el hombre, es una parte del mismo hombre, quien nada sabe de Dios y que también ignora todo acerca de esa masa que se mueve perdida, acerca de la humanidad. El demonio es parte del hombre, y el infierno está en el corazón. Ni en la muerte puede hallar consuelo, pues el espíritu acaso nunca rompe sus cadenas.

Dijo, y la ígnea luminosa frente
Dejó caer desesperado y triste,
Y corrió de sus ojos larga fuente
De emponzoñadas lágrimas: profundo
Silencio en torno dominó un momento:
Luego en aéreo modulado acento
Cien coros resonaron,

Y allá en el aire en confusión cantaron.
(vs. 520-527)

Esa actitud de la desesperación y de la tristeza tiene un contorno de profundo silencio, que en seguida se llena con el resonar de los coros y de las voces que unas tras otras dejan oír la nota estridente y brillante del dolor (vs. 528-588).

Los tormentos del hombre

Coros y voces. El hombre tiene por Dios al Mal, y, sin esperanza, su corazón vive sólo de recuerdos, claman los coros. Los tormentos aparecen incorporados en las voces. La primera es la voz del sentimiento dispuesta a atenazar el corazón: «Yo turbaré sus amores». La segunda, la voz de la inteligencia: «Yo confundiré a sus ojos/la mentira y la verdad». La tercera habla por el cuerpo: «Marchitaré la hermosura/rugaré la juventud». La cuarta es la voz doble de la duda y el interés sembrando la sospecha y el engaño. La quinta impone la avaricia y las pasiones viles. La sexta viene dispuesta a esclavizar al hombre por completo. Sólo la séptima voz trae el consuelo: promete la paz y la libertad, promete abrir un nuevo sendero a la humanidad errante. Promesas que un coro se precipita a hundirlas inmediatamente en la duda:

CORO

¡Quién sabe! ¡Quién sabe!
Quizá sueños son,
Mentidos delirios,
Dorada ilusión.
Genios, venid, venid
Nuestro mal con el hombre a repartir.

De la serie de pecados capitales que acompañan siempre al estudio de la naturaleza humana en la Edad Media, apenas si ha quedado otra cosa que la magia del número.

El poeta en su delirio

«Como» una nube que arrastra un violento huracán; «como» mar que suena a lo lejos: «así» huyó el ejército diabólico; «así» se oyó terminar poco a poco su canto. Con esta doble comparación visual-auditiva desaparece la visión que deja al Poeta en delirio y abrumado, oyendo en su fantasía esos lamentos y cánticos, sintiendo dentro de sí mismo todo el tumulto y la porfía. Para explicar esta interiorización se sirve Espronceda de otra comparación:

> Así al son agudo de bélica trompa,
> Y al compás del golpe que marca el tambor
> Brioso en alarde, y magnífica pompa,
> En orden desfila guerrero escuadrón.
>
> Y espadas, fusiles, caballos, cañones
> Pasan, y los ojos en confuso *ven*
> Brillar aun las armas, ondear los pendones,
> Fantásticas plumas del viento al vaivén,
>
> Relumbrar corazas, y el polvo y la gente,
> Y se *oye* a lo lejos un vago rumor,
> Y queda en su encanto suspensa la mente,
> Y *oír* y *ver* piensa después que pasó.
>
> (vs. 625-636)

Presenciamos el desfile de un escuadrón al son de trompetas y tambores, y cuando ya ha pasado todavía creemos estar viéndolo. La doble impresión física y ese estado de arrobamiento en que queda la mente al contemplar la fuerza, el brío, el ritmo, las masas de luz y de colores, al oír el compás del tambor, el sonido agudo de la trompeta. La fantasía nocturna acaba apoyándose en esa realidad tan actual del siglo XIX, en esa muchedumbre confusa y ordenada al mismo tiempo que despide una energía electrizadora.

Las estrofas de cuatro versos decasílabos con rima aguda en los pares, al llegar a este desfile convierten sus versos en endecasílabos con rima consonante en los versos impares, manteniendo la aguda en los pares. La Introducción termina con tres quintillas, las dos primeras para recibir la mañana: luz, color y armonía. Una mañana que sucede a la noche, que con ella está en posición antitética, pero que no es un triunfo sobre la oscuridad, no es ni una solución, ni un desenlace (para ver la diferencia con el Cubismo, véase la noche y la mañana de Jorge Guillén). La mañana romántica nos lleva a otra inquietud. La última quintilla expresa con una doble antítesis el estado espiritual de duda e incertidumbre del poeta:

¿Es verdad lo que ver creo?
¿Fue un ensueño lo que vi
En mi loco devaneo?
¿Fue verdad lo que fingí?
¿Es mentira lo que veo?
(vs. 647-651)

Los tres momentos de la visión

La Introducción es una visión, que comienza con un motivo de esfuerzo y de rapidez vertiginosa en un medio cósmico, al cual le sigue otro de estruendo. Una antítesis auditiva muy marcada nos presenta ese sonido sordo del primer motivo y estridente del segundo: los condenados rompiendo su cárcel.

Ese sonido es un fortísimo que inmediatamente la distancia disminuye y lo hace llegar hasta nosotros como un rumor, el cual a medida que se va acercando va aumentando de volumen hasta que pasa, se aleja y se apaga. Ruido producido por el desfile veloz de un sinnúmero de figuras, estruendo y movimiento en confusión. Esas tres notas son constantes: la sensación auditiva, la sensación visual y la confusión, en la cual no tenemos que recibir la impresión de algo indistinto, sino de algo enredado, revuelto, mezclado y por eso poco claro; esa confusión es un sentimiento.

Al irse aproximando se perciben con cierta precisión las figuras: el genio destructor de la naturaleza, el genio destructor del hombre; se acrecienta el sonido y se oyen los primeros coros y voces que lanzan la queja del destino humano. El movimiento, siempre confiado a la masa y a la energía, tiene el lírico dramatismo de la catarata, la versificación se llena de un color estridente: un océano de fuego, y sobre ese rojo la figura negra y colosal de Luzbel. Se hace el silencio, la antítesis de color sustituye la antítesis sonora. Luzbel es el rebelde, melancólico, triste e impotente; es el hombre romántico, personificado en esa representación típica de la acción política del siglo XIX, la forma del sentimiento de la Libertad contra la Autoridad, en el Orador, cuya palabra más que transmitir una idea expresa la inquietud de todos, de la muchedumbre de esclavos. Y a esa voz, que tiene todo el poder de seducción de la rebeldía y de la tristeza melancólica, le sigue el canto de coros y voces solas con su desesperada ansia de tormento que apenas si dejan oír el grito de consuelo.

Ese desfile veloz y tumultuoso ha interrumpido el

silencio de la noche, negra y serena. Lo oye y lo ve el Poeta, el cual aparece tras las dos primeras estrofas (vs. 16-28), vuelve a aparecer al terminar el primer conjunto de coros y voces (vs. 230-244) y después del segundo conjunto de coros y voces, terminado el desfile (vs. 589-651). El Poeta nos está dando los tres momentos de ese curso: (1) el acercamiento y aumento de sonido, (2) la presencia, silencio absoluto, quietud, deslumbrante color y peroración, (3) el alejamiento y disminución del sonido. El Poeta marca el compás, su voz se encarga de la descripción —la descripción romántica vaga o confusa y que evita el detalle del Realismo y el Naturalismo; es una descripción rápida, a grandes rasgos, de largos trazos, que trata de abarcar lo más posible, que necesita abarcarlo; que no se goza, por tanto, en ninguna delicadeza de matiz, que es lo característico de la notación alusiva impresionista—. Esa descripción vista desde el Realismo-idealista o el Naturalismo-positivista tenía que parecer sumaria y superficial; contemplada con una formación impresionista era basta. Téngase en cuenta además que el Realismo y el Naturalismo excluyen la zona de la fantasía, completamente necesaria para el Romanticismo.

Porque si el Poeta entrega el ritmo de la acción es porque la vive, está viviendo una visión, gracias a la cual puede situarse en un plano trascendente, pero la visión no la vive de una manera objetiva, y ésta es la otra función del Poeta en la Introducción: trasladarnos incesantemente de lo externo a lo interno, de la realidad a la fantasía y lo contrario. Así la descripción romántica tiene que apoyarse en la comparación, que es como una traducción del mundo excepcional de la fantasía al lenguaje de nuestra experiencia cotidiana y común. Descripción y comparación que forman una antítesis. Cuando llegamos al final de la Introducción y contemplamos el desfile de los soldados, aún tenemos en nuestra fantasía la huida de los demonios con que comenzaba el poema.

El Poeta nos presenta su duda constante que es incertidumbre. La duda del Barroco era un método para encontrar la verdad; la duda del Romanticismo es un estado de ánimo —el estado en que se encuentra el hombre que no puede hallar la verdad—.

La Introducción es una visión que el Poeta tiene en la noche, con la cual ha vivido el destino atormentado de la humanidad, su rebeldía. La llegada de la mañana no es una liberación. La mañana sorprende al Poeta agotado y hundido en una confusión sin límites: el Poeta continúa viviendo —dando forma— de otra manera la misma experiencia espiritual.

Visión del Hombre

CANTO PRIMERO

Las dos melodías del nocturno del hombre

En la Introducción, el Poeta oía y veía en la noche la esencia del destino atormentado del hombre, eterno rebelde. El poema comienza (Canto I, vs. 652-1499) con el hombre en su noche. Está en su cuarto, que no es lujoso ni pobre. La luz de un quinqué sobre una mesa de pino ilumina la estancia con su reflejo. El hombre —un viejo caduco— lee anhelante, e interrumpen su lectura las campanadas de un reló vecino que da las doce y que él cuenta atentamente. El hombre —un viejo—, el lugar, la acción, el tiempo. La primera octava, de una manera muy somera, nos presenta una realidad muy común y corriente, pero ha captado con tanta fuerza los elementos pintorescos que se apodera rápida y enérgicamente de la imaginación del lector.

La inversión con que comienza subraya el tono natural de la descripción y el ritmo fácil del verso, facilidad que las rimas agudas y los esdrújulos del segundo endecasílabo y del cuarto aumentan. Lo común de esa habitación, que no se señala ni por su desnudez ni por su riqueza, desaparece bajo la disposición de las luces y las sombras. Los dos adjetivos —melancólica, pálido— dan carácter al cuarto:

Sobre una mesa de pintado pino
Melancólica luz lanza un quinqué,
Y un cuarto ni lujoso ni mezquino
A su reflejo pálido se ve.

Los dos adjetivos soportan la intensidad de la acción: el cruce del anhelo de la lectura y el andar pausado del tiempo. Estos dos sentimientos llenan la estancia. Lentitud, monótona regularidad, impasibilidad agobiadora del tiempo objetivo; anhelo, ansia del tiempo subjetivo:

Suenan las doce en el reló vecino
Y el libro cierra que anhelante lé
Un hombre ya caduco, y cuenta atento
Del cansado reloj el golpe lento.

La noche del Poeta no se contenía en el espacio ni en el tiempo. El oído y los ojos —mentales, físicos— daban una realidad espacial y temporal a un mundo altamente imaginativo, a una visión. No es un conflicto trágico, es una desesperación lírica, que al empezar el poema vivimos nuevamente en otro medio. La sensibilidad romántica descubre esa emoción, que ha de continuar solicitando a todo el siglo XIX, de vivir la intensidad de los sentimientos de una manera común y corriente. No de un lado la prosa y del otro la poesía, sino prosa y poesía unidas; no de un lado lo extraordinario y del otro lo cotidiano, sino lo extraordinario en lo cotidiano —hasta que el Realismo y el Naturalismo vean lo extraordinario de lo cotidiano—. El Impresionismo se quedará amorosamente con lo cotidiano y exprimirá todo el contenido poético de lo vulgar, monótono y temporal. Con otras palabras, en el Romanticismo materia y espíritu coexisten antitéticamente; en el Realismo la materia es un reflejo del espíritu; en el Naturalismo la materia es espíritu o al contrario; en el Impresionismo de la materia se obtiene el espíritu.

La gran emoción, la salvación del Romanticismo es poder creer, es saber que junto a lo normal y lo regular se vive lo excepcional y extraordinario. Esas doce de la noche de una primavera madrileña, las doce de la noche que suenan en la costumbre sin sorpresa, son las doce del aquelarre que vive el viejo bajo una forma sentimental y que el poeta ha vivido en su forma imaginaria. El siglo XVIII había logrado dominar el elemento temporal por medio de la Razón y de aquí que inventara ese espacio limpio y claro en el que se aloja un tiempo colaborador del hombre, que va transformando todo el agror de las pasiones en sazonada madurez. En el Romanticismo, las doce de la noche suenan en la ciudad —en el reló vecino— y cada cual las vive a su manera, pero penetran en el cuarto del viejo no para imponer constructivamente su maravillosa regularidad, sino para cruzarse con un anhelo. El ritmo de la lectura es interrumpido por el compás del tiempo, que durante un momento llena el cuarto del viejo: llena su mente, su corazón.

Como si estuviera encadenado, el viejo se agita:

> Carga después sobre la diestra mano
> La ya rugosa y abrumada frente.

Un forcejeo cruel comienza entre los dos ritmos. La voluntad se impone a sus ojos, pero la fantasía no le obedece:

> Vuelve a leer, y en tanto que obediente
> Se somete su vista a su porfía,
> Lánzase a otra región su fantasía.

La experiencia de la humanidad

Se ha adueñado de su mente un pensamiento fúnebre que en seguida se transforma en lóbrega tempestad. El viejo habla, dice una frase lenta que arrastra el peso desesperado de su larga experiencia, es el resumen del saber que ha destilado su vida:

¡Todo es mentira y vanidad, locura!

Es el primer endecasílabo de la tercera octava seguido por siete versos descriptivos, que interponen un espacio numeroso entre su exclamación y su queja:

¡Ay! para siempre, dijo, la ufanía
Pasó ya de la hermosa juventud
. . . .
Pasaron ¡ay! las horas de alegría...

La primera frase, los siete versos en que vemos al viejo revolverse agitado e inquieto («y en la silla tomando otra postura,/de golpe el libro y con desdén cerró»), una lágrima de sangre que quema sus ojos, y en seguida el doble compás de los lamentos —pasó, pasaron— con que comienza la inmensa y lenta melodía de las interrogaciones: «¿Qué es el hombre?... ¿Qué es la vida?» El pasado no existe, el presente es un sueño de un momento, el futuro es la muerte. La primera pregunta recibe inmediatamente la respuesta: «Un misterio», y la segunda recibe inmediatamente también la misma contestación. Apoyándose en la escala del hombre, viene luego la medida de la humanidad:

Los siglos a los siglos se atropellan;
Los hombres a los hombres se suceden,

En la vejez sus cálculos se estrellan,
Su pompa y glorias a la muerte ceden.
(vs. 692-695)

La historia es una sepultura hedionda y estrecha.

La amplitud del lamento, cuando ha alcanzado esa máxima extensión, estalla en dos exclamaciones; brillantes, deslumbrantes gritos en que se encierra el anhelo inspirador del poema —esa ansia del hombre que ha hecho posible la continuidad de la vida—:

¡Oh, si el hombre tal vez lograr pudiera
Ser para siempre joven e inmortal,
Y de la vida el sol le sonriera,
Eterno de la vida el manantial!
(vs. 700-703)

La segunda exclamación introduce la imagen con la que Espronceda expresa siempre la alegría, la esperanza, la ilusión y las notas de claridad, juventud, pródigo alborozo:

¡Oh, cómo entonces venturoso fuera
Roto un cristal, alzarse otro cristal
De ilusiones sin fin, contemplaría,
Claro y eterno sol de un bello día...!
(vs. 704-707)

La digresión. Sentido de la visión en el romanticismo

La irrupción de las dos exclamaciones abre el cauce a un atormentador movimiento interrogativo: ¿hasta dónde puede arrastrar el espíritu orgulloso, que quiere, en medio de la muerte, vivir para siempre? Y la saturación emocional da lugar a la primera digresión. El hombre cristiano sustituye la construcción lógica de la acción o del discurso por el desarrollo vital, el cual da lugar a la unidad de acento, de sentimiento del discurso o de la acción. Toda obra cristiana no va dirigida por una idea, sino por un impulso, por una pasión y su forma depende siempre de su dinamismo. El Gótico, por ejemplo, con su horror al vacío, llena el espacio de un continuo episódico, que al mismo tiempo que señala al hombre que su vivir en la tierra es esencial, pero sólo un episodio, le mantiene, protegido y a la vez prisionero, dentro de una fortaleza de ejemplos y de autoridades en la que se pasa sin transición de lo abstracto a lo concreto o al contrario. En el Barroco la digresión tiene un carácter objetivo también; con ella el poeta quiere explorar la diversidad del mundo en una acumulación desbordante de riqueza y plenitud, pero mantiene siempre la diferencia entre la calidad de lo abstracto y lo concreto; esa confrontación de calidades es uno de los grandes gozos del Barroco. El poeta de la época barroca hace que el lector se pierda en medio de la riqueza y abundancia del mundo físico y espiritual, y cuando más perdido se cree, el poeta sorprendentemente vuelve a ponerle en el camino. La digresión romántica es subjetiva, el poeta no puede soportar más tiempo la tensión lírica a la que se ha visto sometido. El mundo real no se apoya en el imaginario ni al contrario; esa tensión no va a dar a un descanso, sino a la contemplación de sí mismo fuera de la soledad creadora. Ese abandono de la digresión tiene el desasosiego de saber que la marcha veloz proseguirá inmediatamente, ni es un descanso, ni produce descanso, es un cambio de dirección forzosamente inútil, porque no es el lector el que está perdido, sino el poeta, y lo está no por haberse desviado del camino, sino por ignorarlo, porque no tiene camino. La obra romántica expresa exactamente el estado del poeta:

trastorno, confusión, mareo, turbación, aturdimiento. Se ha venido abajo un mundo: la estabilidad y arquitectura de un mundo, y el hombre romántico se encuentra en medio de este derrumbe y a la vez derribo sin poder imaginar un nuevo trazado, pudiendo sólo expresar sus anhelos, su angustia, sus dolores y su confusión.

Por eso la digresión tampoco es un peso muerto en la obra romántica, al contrario. La ironía, el desdén, el sarcasmo, la intervención personal con que se corta el hilo de la narración y se le pierde, une indisolublemente la angustia del personaje a la angustia de su creador, y el lector se encuentra, sin saber cómo, atraído y arrastrado por esa vorágine. El viejo no está hundido en su tormento sin dirección, sino no sabiendo a dónde ir, y así está el poeta: vagando errante. En la confusión de esta corriente se siente cogido el lector. El poeta lo sabe, lo quiere y para no mostrar su desfallecimiento tiene que ocultarse en un esguince irónico:

> Y dejando también mis digresiones,
> Más largas cada vez, más enojosas
> Que para mí son tachas y borrones
> De las mejores obras, fastidiosas
> Haciéndolas, llevando al pacienzudo
> Lector confuso siempre...
>
> (vs. 2090-95)

Es precisamente en el abismo angustioso de la digresión, por el cual el poeta divaga desorientado, desde donde puede abarcar el mundo todo y el hombre.

De la misma manera que en el viejo la voluntad y la fantasía se han bifurcado marchando en direcciones diversas, así el poeta se separa de su asunto. La fantasía del poeta a veces coincide con su personaje, otras le abandona, ya entrelazándose a él, ya ocultándolo. La primera digresión surge al ver que tanto dolor está desposeído de toda originalidad. Se padece cruelmente un dolor constante y común. Por eso, al dramatismo de la situación opone un desenlace común y corriente. A los lugares comunes corresponde lo vulgar y ordinario:

> Yo, por no ser prolijo ni cansado
> (Que ya impaciente a mi lector barrunto),
> Diré que al cabo, de pensar rendido,
> Tendióse el viejo y se quedó dormido.
> (vs. 720-723)

Envolviéndolo en ironías, habla Espronceda del olvido, y reaparece el hilo de la narración:

> Quedóse en su profundo sueño, y luego
> Una visión...

Al encontrar a su personaje en una de las formas más vitales del Romanticismo, la digresión por fin se adueña del Canto. Primero, para afirmar irónicamente su personalidad contra la cultura clásica y la época del Neoclasicismo; la época del «hombre justo que sirve a su razón». Segundo, para expresar la fuerza que le domina y que da forma a su sentimiento. Espronceda canta «lo primero que salta en su mollera»; y escribe en su «loco desvarío sin ton ni son», y para gusto suyo:

> La *zozobra* del alma enamorada,
> La *dulce vaguedad* del sentimiento,
> La *esperanza,* de nubes rodeada,
> De la memoria el dolorido *acento,*
> Los *sueños* de la mente arrebatada,
> La *fábrica* del mundo y su portento
> Sin regla ni compás canta mi lira:
> ¡Sólo mi ardiente corazón me inspira!
> (vs. 756-763)

Espronceda nos entrega —acudiendo a la palabra familiar y prosaica (mollera) para expresar a la vez su desdén por lo formal y, especialmente, la superioridad del poeta con respecto a su obra—, nos entrega el impulso que le mueve, su inspiración: el corazón ardiente; su manera de componer: en un estado de desvarío, de frenesí. Escribe sin ningún propósito prefijado o ulterior, sin ton ni son, sin regla ni compás; esto es, espontáneamente, sumiso al momento y sin intención moral o didáctica. Por último, ofrece todos los elementos que constituyen su mundo, su obra en general y *El diablo mundo* en particular: el alma, el sentimiento, la esperanza, la memoria, la mente y el mundo. Elementos que no entran en su poesía de una manera general y total, sino en ciertos estados y bajo ciertos aspectos. Es el alma enamorada en el desasosiego y la aflicción, es el sentimiento en su dulce vaguedad, es la esperanza más bien incierta que lejana o irisada de luz y de colores. De la memoria destaca el acento dolorido, y los sueños de una mente impetuosa junto a la maravilla física y espiritual del mundo.

De todos estos elementos preposicionales, sólo uno, verdaderamente, nos sorprende por su novedad y como característico del Romanticismo (a pesar de su larga tradición cristiana): la memoria; pero todos ellos adquieren un intenso tono de época gracias al sustantivo al cual complementan.

Se sigue apoyando en la visión («Y a la extraña visión volviendo ahora»), señalando una diferencia esencial entre la visión del poeta y la del hombre. Aquél vive el delirio del mundo, no puede distinguir lo imaginario de lo real, pero está despierto; mientras que éste sueña. La extraña visión se le «apareció en su sueño», y dice Espronceda: «es fama que soñó...». Notemos la diversidad de medios en que se sitúa la visión, pues junto a su distinta calidad estética hay que dar toda su importancia a la función activa del poeta en contraste con la pasiva del viejo. Sin embargo, todavía no penetra en la visión, continúa su digresión, mantenida en un nivel cada vez más natural y familiar, en un tono de despreocupación y ligereza, con un triple propósito: el primero, como avergonzado de calar profundidades que no se pueden expresar con originalidad, pero el sentir esto le separa ya de la sociedad vulgar que le rodea; el segundo, para mostrar todo su desprecio a los hombres, y el tercero, para lírico acompañamiento de su dolor:

¡Siempre juguete fui de mis pasiones!

Tampoco hay que menospreciar el papel que la digresión desempeña para suscitar el interés y mantenerlo sentimentalmente despierto.

Dentro de la digresión, hace conocer Espronceda el sentido y la necesidad de la visión: con ella se vence al tiempo, «en un punto/cuanto fue, es y será, presenta junto». Libre del tiempo y el espacio, el alma revela en la dimensión y el medio del sueño su esencia; en la realidad irreal del sueño puede presentar el alma la eternidad a la mente «espantada y oscura» del hombre. La digresión termina con una pregunta llena de irritación y desdén hacia la ciencia, sumido el poeta en la duda, mientras el viejo duerme y el lector penetra en el huracán que agita su sueño. Acudiendo rápidamente a una comparación se despliega, al fin, ante nuestros ojos ese mundo que ansiábamos y temíamos contemplar:

Y como el polvo en nubes que levanta
En remolinos rápidos el viento,
Formas sin forma, en confusión que espanta,

Alza el sueño en su vértigo violento:
Del vano reino el límite quebranta
Vago escuadrón de imágenes sin cuento,
Y otros mundos al viejo aparecían,
Y esto los ojos de su mente vían.
(vs. 852-859)

La voz de la muerte

Ha terminado el divagar, han terminado las ironías y las dudas, el poeta ha sido cogido por un ritmo imperioso que le domina y subyuga; le vemos en trance, en su función de médium.

La octava cede el puetso a la estrofa de cuatro dodecasílabos con los pares agudos. Estas tres estrofas de un diseño rítmico acentual muy marcado («En lóbrego abísmo que sómbras etérnas») introducen «una voz», la voz de la muerte que tan sólo la oye el corazón. Ese agolpamiento acentual, que o bien es de un fuerte repiqueteo o bien de una onda de ritmo sumamente amplio, sonoro y retórico, nos aleja de las octavas en que se ha descrito al viejo en su cuarto y en que el poeta ha hablado por su cuenta; de ambas maneras hemos estado sujetos a la realidad. Esas estrofas de dodecasílabos nos separan de las octavas y nos conducen a las octavillas románticas —ocho sílabas, riman el segundo con el tercero, el sexto con el séptimo, el cuarto con el octavo agudos, y quedan libres el primero y el quinto— en que habla la Muerte.

La situación dolorosa del hombre ante la muerte y el dolor desesperado de lo vulgar de esa situación, que sólo puede expresarse irónicamente, por medio de palabras prosaicas con ritmo desenfadado y fácil. Y ahora la muerte deja oír su voz. De repente se abre en ese ambiente un silencio que se llena con una melodía de línea purísima. Es como si se hubiera callado toda la orquesta y el cello atacara con todo vigor y al mismo tiempo con una gran melancólica seducción su primera frase (vs. 872-935):

> Débil mortal, no te asuste
> Mi oscuridad ni mi nombre;
> En mi seno encuentra el hombre
> Un término a su pesar.
> Yo compasiva le ofrezco
> Lejos del mundo un asilo,
> Donde a mi sombra tranquilo
> Para siempre duerma en paz.

Las imágenes se enlazan, la Muerte es isla, es sauce, es una virgen misteriosa. La frase se hace contenidamente apasionada o suavemente lánguida, isla de olvido, sauce consolador, virgen amorosa que ofrece la paz; la frase canta con lejanías tan embriagadoras, ofrece la verdad y con la verdad el reposo. Cuando invita «al no ser», el octosílabo es tan arrullador y voluptuoso, el sonido tiene tanto volumen y calidad. Y luego, como si se marchara con el latido del corazón, se va moviendo lentamente, blandamente, apagándose, desvaneciéndose en un silencio cristalino para terminar en un agudo sostenido. En las ocho estrofas de la Muerte han aparecido también las imágenes favoritas de Espronceda: el mar de la vida, el hombre como marinero y la tormenta del vivir.

En medio de la vida atormentada, de la agitación sin reposo, se sueña con el descanso. El cansancio es una categoría metafísica en el Romanticismo, porque el hombre está agotado. No puede soportar por más tiempo ese continuo perseguir la verdad para encontrarse siempre, cuando cree tenerla en la mano, con que ha volado más allá. La historia del hombre es una carga que el romántico no puede sufrir más. El romántico quisiera tener fe, quisiera creer, quisiera poder engañarse; pero ese hombre que se sabe, que se siente capaz de todo, que tiene toda clase de libertades, lo único que no puede es engañarse. La gloria de ese nuevo hombre incapaz de engaño, el Romanticismo no puede cantarla. Al romántico le agobia el nuevo tipo de hombre que ha surgido en la Historia.

Volvemos al endecasílabo en estrofas de cuatro versos con rima cruzada (vs. 936-1011). Es una descripción: «¿Visteis?», «¿oísteis?», «¿sentisteis?». En el serventesio la metáfora lírica deja su puesto a la comparación. Como el reflejo de la luna, la inmensidad del mar, el horizonte lejano, el murmullo del aura, el tierno encanto, «blanda así la quimérica armonía/sonó del melancólico cantar». Al romántico no le basta con crear una armonía, necesita también trasladarla de medio y describirla, porque la intención del poeta consiste en hacernos ver, oír, sentir ese momento de la vida en que el cuerpo y el alma se bifurcan, ese momento en que se van separando. No se trata de morir heroica o cobardemente, serena o desesperadamente; no se trata de salvarse o de condenarse. Es una unidad que se rompe y una serie de sentimientos:

Por su cuerpo un deleite serpeaba,
Sus nervios suavemente entumeciendo,
Y el espíritu dentro resbalaba,
Grato sopor y languidez sintiendo.

Parece como si al ir a morir aprehendiéramos de una nueva manera la realidad del alma. El vivo no siente el alma como el moribundo, quizá tampoco el alma tenga el mismo sentimiento del cuerpo en ese momento de la separación. Durante un largo período continuará el siglo XIX por este camino que el Romanticismo inaugura, en el cual no se percibe al alma con más claridad, sino que se la siente fisiológicamente. A este sentimiento físico-psíquico, el Impresionismo opondrá su sentimiento espiritual. El Romanticismo quiere abarcar la estructura físico-psíquica del hombre, se siente impulsado por una necesidad de absoluto; mientras que el Impresionismo lo que desea es captar la raíz última diferenciadora y característica, transformando continuamente lo físico en psíquico y al contrario.

La vida

El viejo se va hundiendo en la muerte, «cuando» siente crujir las paredes de su cuarto, y envuelta en resplandor y luz aparecer una deidad que difunde a su alrededor alegría y vida (vs. 1012-27). En catorce estrofas (vs. 1028-83) de endecasílabos como las precedentes se ofrecen todos los dones que generosa y abundantemente acompañan a esta deidad. Señalemos únicamente, por el valor que tienen para concebir el alma romántica:

> El eco blando del *primer* suspiro,
> La dulce queja del *primer* amor,
> La *primera* esperanza y el respiro,
> Que pura exhala la aromosa flor.
> (vs. 1036-39)

En lugar de seguir uno a uno los deseos, los sentimientos, las ilusiones de este repertorio, veamos su resumen:

> Cuanto fingió e imaginó *la mente,*
> Cuanto del hombre *la ilusión* alcanza,
> Cuanto creara *la ansiedad* demente,
> Cuanto acaricia en sueños *la esperanza.*
> (vs. 1084-87)

Todo lo que la mente puede imaginar, todo lo que la ilusión puede abarcar, todo lo que el anhelo sin límites puede crear, todo lo que la esperanza permite poseer —las cuatro hadas de este cortejo— es lo que pródigamente brinda la diosa y la visión que tiene el viejo en su cuarto. Tras esta deidad brillante y refulgente va toda la humanidad; de las voces que le acompañan se oye resonar una en un canto de salutación (estrofas de cuatro decasílabos con rima cruzada):

Salve, llama creadora del mundo,
Lengua ardiente de eterno saber;
Puro germen, principio fecundo
Que encadenas la muerte a tus pies.

Estas estrofas que se atavían con una gran riqueza acentual (vs. 1104-1167), están formadas por una enumeración en que queda prendida la acción de la vida que es su ser: tú espoleas, ordenas, modelas y creas, alimentas, revistes, argentas, coronas y das, exhalas, suspiras, murmuras, retumbas, derramas, abrillantas, extiendes y enciendes, *tú eres, tú eres.*

En íntima colaboración con la vida trabaja el tiempo, el tiempo que es el que da forma a esa acción. El hombre flota en vaivén perpetuo en el hondo océano de la vida. Hemos oído la melodía insinuante, seductora, lánguidamente apasionada de la Muerte: «Débil mortal, no te asuste/mi oscuridad ni mi nombre». La salutación termina exhortando con gran energía rítmica:

Hombre débil, levanta la frente,
Pon tu labio en su eterno raudal,
Tú serás como el sol en Oriente,
Tú serás como el mundo inmortal.
(vs. 1164-67)

Ser joven como el sol cuando sale, ser inmortal como la materia, que no puede morir porque no vive.

El poeta pasa al serventesio con rima aguda de los versos pares en las seis primeras estrofas. La voz calla, siguiendo la música y el coro, mientras el anciano va volviendo en sí y «de la visión de muerte se desprende». Comienza a revivir:

> Y su rostro se pinta de hermosura,
> Viste su corazón la fortaleza,
> Brilla en su frente juvenil tersura,
> Negros rizos coronan su cabeza;
>
> El alma en su mirar se transparenta,
> Mirar sereno, vívido y ardiente,
> Y su robusta máquina alimenta
> La eterna llama que en el pecho siente.
> (vs. 1212-19)

La deidad le abraza, envolviéndolo e iluminándolo en su vuelo:

> Y a su rüina y su destino enlaza
> El destino del mundo y su rüina.

El mundo queda unido así a la conciencia del hombre. Después la deidad habla (quintillas). Le promete una vida sin fin: «Y eternamente bogando,/y navegando contino,/sin hallar descanso, andando/irás siempre, caminando,/sin acabar tu camino.» Le advierte:

> Pero si acaso algún día
> Lloras tal vez tu orfandad,
> Y al cielo clamas piedad,
> Y en lastimosa agonía
> Maldices tu eternidad,

Acuérdate que tú fuiste
El que fijó tu destino,
Que ser inmortal pediste,
Y arrojarte al torbellino
De las edades quisiste.

Y termina declarándole que el mundo será suyo. El coro recoge el cantar de la diosa, mientras ésta desaparece en una apoteosis de luces y colores, oyéndose resonar en la lejanía, como un eco, la última estrofa: la promesa de la sumisión del mundo al hombre.

Con las octavas que siguen (vs. 1284-1499) comienza de nuevo la digresión, esta vez mucho más larga y continua que la que interrumpía el Canto apenas empezado, para servir de transición entre el mundo real y la visión de la muerte y de la vida que forman el Canto I.

El soñar y la gloria

La última digresión, muy compacta, canta la dicha de soñar, y en seguida vuelve el poeta a sentirse abrumado ante el peso de la tradición y de la historia. El romántico siente la necesidad de ser original, de sentir, ver, oír, hacer por primera vez:

Que, como dicen vulgarmente, rabio
Yo por probar un nuevo sentimiento:
Palabras nuevas pronunciar mi labio,
Renovado sentir mi pensamiento,
Ansío, y girando en dulce desvarío,
Ver nuevo siempre el mundo en torno mío.
(vs. 1326-31)

El romántico no se apodera del mundo de una manera conceptual, sino a través del corazón, por eso no le basta con volver a sentir, sino que quiere sentir por vez primera, la única manera de sentir personal, individualmente; la única manera de estar seguro de que ese sentimiento es suyo. El poeta de las otras épocas ha derivado su fuerza de la relación; el poeta romántico, de la singularidad; de aquí su empeño en recuperar una mirada adámica, y su desesperación al ver que tantos antes que él han posado la mirada sobre el mundo. Su afán de renovación llenará el siglo XIX, hasta llegar a ser una de las fuerzas dirigentes del Impresionismo. En esa íntima necesidad de renovación no se debe olvidar el fermento cristiano, pero como ocurre constantemente con el Romanticismo y otros momentos del siglo XIX, tenemos que observar el rumbo diferente que sigue y que con frecuencia adopta un carácter anticristiano.

Espronceda habla de su poema en tres estrofas (vs. 1356-1379):

Nada menos te ofrezco que un poema
Con lances raros y revuelto asunto,
De nuestro mundo y sociedad emblema,
Que hemos de recorrer punto por punto:
Si logro yo desenvolver mi tema,
Fiel traslado ha de ser, *cierto trasunto*
De la vida del hombre y la quimera
Tras de que va la humanidad entera.

Batallas, tempestades, amoríos,
Por mar y tierra, lances, *descripciones*
De campos y ciudades, desafíos,
Y el desastre y furor de las pasiones,
Goces, dichas, aciertos, desvaríos,
Con algunas morales reflexiones
Acerca de la vida y de la muerte,
De mi propia cosecha, que es mi fuerte.

En varias formas, con diverso estilo,
En diferentes géneros, calzando

Ora el coturno trágico de Esquilo,
Ora la trompa épica sonando:
Ora cantando plácido y tranquilo,
Ora en trivial lenguaje, ora burlando,
Conforme esté mi humor, porque a él me ajusto,
Y allá van versos donde va mi gusto.

De una manera característicamente romántica, y que tanto le diferencia del Realismo-idealista, el poeta necesita un asunto inmenso: la vida del hombre y la ilusión, el ideal, la quimera de la humanidad; por eso junto al curso del día nos encontramos el sucederse de los siglos; junto al hombre, la historia. El hombre antiguo está dentro de una generalidad metafísica, el hombre medieval está incluido en una generalidad religiosa, y el hombre moderno es una generalidad histórica; el hombre actual se debate por encontrar a la vida una generalidad científica.

La segunda octava señala los dos elementos que componen el poema: descripciones y reflexiones, esto es, la digresión; por fin, nos habla de las formas, el estilo y los géneros, es decir, el movimiento dramático, narrativo y lírico de su asunto. Conviene retener que el poeta insiste en el lenguaje trivial e irónico, y por último que el ritmo del poema no depende del asunto, sino que se adapta y conforma al sentimiento del poeta en el momento en que escribe. La lectura de estas tres octavas debe ir acompañada del recuerdo de los versos 700-707 y 756-763.

En la estrofa siguiente («Verás» «Verás»), nos prepara para la continuación del poema: el anciano se levanta inmortal y se lanza al mundo lleno de esperanza; pero no anticipa más. Su rencilla política, a la cual Espronceda le da una forma literaria, con el conde de Toreno, le dicta unos versos llenos de rencor y desdén, y el Canto I se termina (vs. 1412-1499) con una imprecación a la gloria. La Ambición y la Avaricia clásicas se han transformado en el Romanticismo en la gloria; no la Gloria del guerrero, sino la gloria del militar; no la Gloria del poeta, sino la gloria del escritor; no la Gloria del orador, sino la gloria del político. El estilo se hace completamente familiar, usándose vocablos en el sentido parlamentario, y esa vida, que se presenta en un tono burlón y despectivo, se rebaja cada vez más para contrastar con la angustia personal, la de Espronceda, quien también corre tras la Gloria, sabiendo que ese puro anhelo, esa ansia torturadora no es otra cosa que un engaño banal.

El Canto I que empezaba en octavas termina en la misma estrofa. Las primeras octavas comienzan a presentarnos el asunto, el cual a partir de la estrofa ocho continúa entrelazado a la digresión, que así hace su aparición en el poema; con ella el poeta expresa su dolor de haber caído en una situación trágica, pero común. Las veintisiete octavas finales son el cauce de otra digresión: el soñar y la gloria; entre estos dos temas, el asunto del poema (tres octavas) y el ataque personal (tres octavas). Esta regularidad estrófica encierra la diversidad métrica (versos de doce, once, diez y ocho sílabas) y estrófica —subrayada ésta por la diversidad acentual— de la doble visión del hombre caduco: la Muerte y la Vida, el tejer y destejer de la muerte y la vida que es la esencia del vivir.

La Vida del Poeta

CANTO II

Descripción del Canto II

El poeta ha dedicado el poema a un amigo, el Canto II tiene esta dedicatoria-epitafio: *A Teresa, descansa en paz.*

Una octava voluntariamente ramplona, vulgar, irónica, dolorosa, en que la prisión, el laberinto del mundo se han convertido en una jaula pajarera, del poema *María*, sirve de encabezamiento y lema al Canto. Todavía hay una nota en la que se advierte al lector que ese Canto es un desahogo del corazón, que no está ligado con el poema y que el lector puede sin escrúpulo dejar de leerlo. La única forma estrófica del Canto es la octava, tiene cuarenta y cuatro (vs. 1500-1851).

Recuerdo, memoria, corazón

Un movimiento interrogativo, que se desarrolla de una manera muy continua y con lentitud, comienza el Canto. Ese lento se debe al peso del pasado, es un compás de postración, de abatimiento. El pasado sujetando constantemente al hombre. En la interrogación no hay una protesta, es una melancólica queja. Los cuatro versos primeros acuden a todos los elementos que forman el mundo sentimental romántico de la desesperanza: *memoria, recuerdos, placer, ansiedad, agonía, corazón; volver, aumentar; tristes, perdido, desierto, herido, mía* y *este:*

> ¿Por qué volvéis a la memoria mía,
> Tristes recuerdos del placer perdido,
> A aumentar la ansiedad y la agonía
> De este desierto corazón herido?

De la memoria al corazón; los recuerdos tristes del placer perdido vuelven a la memoria para aumentar la ansiedad y la agonía del corazón desierto y herido. Pero ese acorde melancólicamente lento no tiene nada conceptual, no es una afirmación abstracta acerca del hombre moral; mía y este, memoria mía, este corazón, dan a esa melodía su acento personal, su ternura temblorosa, su tono humano, de hombre, de un hombre individuo. ¡Qué lejos estamos de ese arabesco gótico de la poesía trovadoresca, tan mental y decorativo! ¡Qué lejos del Humanismo renacentista o barroco! Con el Romanticismo pasamos del Humanismo a lo humano; se desplaza al hombre de la zona moral a la particular histórica, y en lugar de la dignidad del hombre lo que ocupa a esta época es el dolor del hombre, que no sabemos cuándo nos conmueve más: si al mostrarse postrado y débil, indefensa criatura, o al lanzar su clamor de rebeldía.

A la memoria vuelven los recuerdos para aumentar desde allí la agonía de un corazón desierto. Este páramo, esta desolación sentimental es el punto desde el cual se contempla toda la extensión de la vida, desde el cual se abarca la continuidad del tiempo.

De ese acorde de los cuatro primeros versos arranca la melancolía de las cuarenta y cuatro octavas —a través de todo el canto, la alegría, la ilusión, la pasión, el dolor, la desilusión, la ira son las variaciones de ese acorde constante—.

La función del Canto a Teresa en el poema

El diablo mundo comenzaba con la visión total que del hombre tiene el poeta; en el Canto I veíamos a un anciano entre la vida y la muerte, esto es vivir; junto a las dos visiones, la digresión del Canto a Teresa, que nos hace penetrar en el dolor de la vida. El poema va a abarcar el destino del hombre, la historia de la vida vista en momentos culminantes; iremos de etapa en etapa, recorriendo los grandes descubrimientos morales y espirituales que constituyen la vida del hombre. Pero no se capta este proceso con una teoría filosófica o una doctrina religiosa; la historia de la humanidad tiene sus raíces en el corazón. El corazón de Espronceda ha vivido toda la historia: una felicidad que es pasado —no un pasado mítico, un paraíso perdido, sino histórico, personal—; un presente que es dolor —no un dolor de lo sobrenatural, sino un dolor del mundo—, y un futuro sin esperanza —desesperación, suicidio, único desenlace posible—. Juventud, madurez y fatalmente la vejez y la muerte. La vida sin esperanza pierde todo sentido, en lugar de un todo es un fragmento.

Esa gran digresión que es el Canto II, ese desahogo del corazón, el lector puede saltarlo sin escrúpulo y poner en su lugar su propia vida, su propio dolor, su propio sentimiento inútil de la culpa; en realidad debe hacerlo, pues el poema se sostiene en el corazón individual, sus raíces se alimentan del dolor personal, por ellas afluye no una experiencia intelectual, sino el sufrimiento inexplicable. La llave con la cual penetrábamos en las obras de los siglos anteriores era la filosofía o la religión, ahora necesitamos la historia, nuestra propia historia; ya no vamos a entender, a comprender: vamos a coincidir, a simpatizar, a compadecer y compadecernos.

El paso de las horas: la presencia del pasado

Tras la interrogación viene una nota de dolor —«¡Ay!»—, la cual introduce la felicidad del pasado en una forma temporal —«horas»— en su relación con el dolor presente, que aparece en toda su desolación con las lágrimas transformadas en hiel:

> ¡Ay! que de aquellas horas de alegría,
> Le quedó al corazón sólo un gemido,
> ¡Y el llanto que al dolor los ojos niegan,
> Lágrimas son de hiel que el alma anegan!

La segunda octava refuerza el esquema armónico de la primera: una pregunta que abarca los cuatro endecasílabos del comienzo, dejando que la segunda mitad de la estrofa forme una unidad. La melodía se repite, pero en una animada variación. El lento dolor, conservando su melancolía, se hace vibrante al comunicarnos la huida de las horas, y ese movimiento rápido de esfumación se llena de luz y luego de color; juventud, amor, ventura, cuya brillantez se suaviza y amortigua con la sordina de las dos interjecciones (en el primer endecasílabo y el octavo), que repiten el dolor del «¡ay!» de la primera estrofa transformado en suspiro:

> ¿Dónde volaron ¡ay! aquellas horas?
> . . . .
> Pasaban ¡ay! a mi alrededor cantando.

Ese movimiento penetra en la tercera octava en un

tono muy vivo y agitado que dura cinco versos, el recuerdo cae inmediatamente en el presente:

> ¡Ilusiones que llora el alma mía!
> ¡Oh! ¡cuán süave resonó en mi oído
> el bullicio del mundo y su ruido!

Las tres primeras estrofas están compuestas con este sentimiento temporal antitético de la presencia del pasado, que se resuelve en alegría y desolación. En el desierto del presente, el pasado es como un miraje, formado de juventud, alegría e ilusiones, que hacen más punzante la sequedad del dolor presente. Las tres primeras octavas son la introducción sentimental del Canto II, y sus dos melodías el pasado y el presente.

«*Como el sol en Oriente*»

Hay una alegría mañanera, una gallardía y audacia, una confianza en sí mismo, un ímpetu tan contenido por la dirección interior, un espíritu tan naturalmente dominador, un triunfo en esa juventud, que la imagen favorita de Espronceda se presenta con toda nitidez y alborozo:

> Mi vida entonces cual guerrera nave.

El Romanticismo trabaja en la descripción por sí misma, pero cuando acierta siempre es al servirse de la descripción para traducir un sentimiento, pues la realidad tratada por la imaginación consigue una extraordinaria claridad:

> Mi vida entonces cual guerrera nave
> Que el puerto deja por la vez primera,

Y al soplo de los céfiros süave,
Orgullosa despliega su bandera,
Y al mar dejando que sus pies alabe
Su triunfo en roncos cantos, va velera,
Una ola tras otra bramadora
Hollando y dividiendo vencedora.

¡Ay! en el mar del mundo, en ansia ardiente
De amor volaba;...

La quinta octava continúa transmitiendo ese sentimiento de juventud, sirviéndose del sol y destacando la frente:

...el sol de la mañana
llevaba yo sobre mi tersa frente.

Juventud llena de amor —lo cual nos prepara para la explosión de absoluto tan característica del Romanticismo: *Yo amaba todo.*

La Libertad es la diosa que le alienta y que le hace soñar con el héroe, con el caballero y con el trovador, con quererlo ser, con llegarlo a ser. Héroe, Caballero, Trovador, tres formas de la Libertad: Justicia y Virtud (dirección y guía políticas). Valor y Fe (acción), Amor y Pureza (sentimiento y arte).

En el aislamiento de la juventud se perciben las dos sensaciones directrices del hombre

Esta capacidad de absoluto que sirve de pedestal al yo para abarcar el mundo en todas sus direcciones va a dar al primer verso de la octava once. La soledad tan sensible de la primera fijación de la juventud encuentra una frase extraordinariamente melodiosa, en la que la pureza del sentimiento se acendra:

Hay una voz secreta, un dulce canto,
Que el alma sólo recogida entiende,

y el endecasílabo nos entrega una intimidad tan palpitante, un momento tan personal, que la voz se llena de toda su capacidad comunicativa, seductora. Ahora el yo vuelve a aparecer, sujeto a un amor doble: amor a la patria, amor a la mujer. La estampa romántica tiene el encanto de la vaguedad y la lejanía, la saturación del sentimiento:

Yo desterrado en extranjera playa,
Con los *ojos* extático seguía
La nave audaz que en argentada raya
Volaba al puerto de la *patria mía;*
Yo cuando en Occidente el sol desmaya,
Solo y perdido en la arboleda umbría,
Oír pensaba el armonioso acento
De *una mujer,* al suspirar del viento.

Quizá ha sido el Romanticismo el que ha creado esa juventud, esas horas de la vida del hombre en que la esperanza completamente desinteresada mueve y conmueve el corazón. En una soledad hecha de ensueños y de ideales, la juventud se pone en contacto de la manera más pura con el mundo. Es un acto amoroso, en el cual el hombre joven olvidado de todo lo trascendente y de todo lo material se compenetra con el mundo. En esa embriaguez sentimental, con la melancolía del acto amoroso, por medio de la mirada y el oído, el joven toma posesión del mundo; el mundo es la desposada, al mismo tiempo, la patria —los padres— y la mujer —la humanidad—. Esa relación con el mundo, en que el mundo —la mujer y la patria— le atrae, le seduce, se le rinde, le engaña, le desilusiona, es una relación amorosa hecha de entregas apasionadas, de desfallecimientos y recriminaciones. Acaso ahora haya que advertir también que esa manera de sentir el mundo puede ser considerada como una consecuencia de la concepción cristiana de la relación del hombre con el mundo. Dentro de la historia del hombre cristiano, quizá el momento más parecido al Romanticismo haya que buscarlo en el siglo XV, en las postrimerías del Gótico.

El hombre romántico *desterrado, solo* y *perdido* o se entrega al mundo olvidándose de Dios o lo recuerda para sentir celos y dolor. La actitud hacia Dios es la de un hombre celoso. De aquí que en el Romanticismo sean temas favoritos el amor con la monja *(El trovador, Don Juan Tenorio:* la seducción de Doña Ana se relaciona con la de Doña Inés —estar a punto de casarse, de profesar—), o bien con la mujer casada, cuyo marido es el que suplanta al amante y no al contrario *(Macías, Los amantes de Teruel).* El hombre romántico siente que Dios con su omnipotencia le quita el mundo; su autoridad absoluta no le deja gozar del mundo, ese mundo que el joven considera suyo, porque él lo crea, es la creación de su alma, de su yo, de su pura pasión.

¡Una mujer! ¡Oh mujer! Es el amor...

En la playa, en la arboleda umbría; extático, perdido. El hombre romántico ve una tiranía que le destierra, oye la voz que le llama. El tema de la mujer se apodera del Canto: *¡Una mujer!* (octava 13), *¡Una mujer!* (14), *Mujer... mujer* (15), *¡Ay! aquella mujer... esa mujer* (16), *¡Oh mujer!* (18). En la octava 15 el amor le sirve de armónico, tema que se oye aislado en la octava 17: *Es el amor... es el amor.*

En las estrofas 13 y 14, las exclamaciones dan lugar a una descripción sumamente apasionada y contenida para captar la inmaterialidad de esa imagen que tiene toda la fuerza y delicadeza de su presencia fugaz en un rayo de luna, en una nube del sol poniente, en un florecer de mayo. Su movimiento es un juego, un deslizarse, un mecerse.

Es una creación del amor que no habla a los sentidos, es un ensueño y un eco. Esa creación del alma es la única que puede satisfacer al hombre. La mujer, el mundo son sólo una imagen, un reflejo del alma; la mujer y el mundo no existen, tienen una realidad subjetiva. Es el amor que se adora a sí mismo o que recuerda un estado perdido. Esa mujer inmaterial, que está entre la memoria (pasado primero) y la esperanza (futuro último), huye del presente:

> ¡Oh mujer, que en imagen ilusoria
> Tan pura, tan feliz, tan placentera,
> Brindó el amor a mi ilusión primera!...

El tema de la mujer ha llenado seis octavas, en las cuales, conducidos por la juventud, nos hemos situado en la zona de la ilusión, en ese momento de la creación subjetiva del mundo.

Ilusión, esperanza, anhelo creador juvenil que han construido un mundo con el sentimiento de pureza, con el corazón desbordado de generosidad y que ha ido desarrollándose desde la primera exclamación hasta el vocativo final en seis octavas que sirven de fondo antitético a la realidad del mundo, a la belleza real.

La realidad y su cauce rítmico

Del oído se ha apoderado ese tema de la mujer, que se ha desenvuelto en una melodía tan suave, tan tierna, tan leve y tan soñadora, que ha cantado con notas de pura fantasía. El sentimiento amoroso de la juventud inocente ha creado esa mujer inmaterial, que conmoviendo profundamente los sentidos los alimenta, sin embargo, de un ensueño impalpable. Sigue un breve momento de silencio, para que el tema se desprenda de su calidad de ensueño, dejando el alma en una nostálgica vaguedad, e inmediatamente suena el acorde terrible, trágico de la realidad.

Hay un choque, un contraste entre realidad y fantasía; esta antítesis es característica del Romanticismo. En cambio, en el Realismo-idealista el paso de la realidad a la fantasía (o al contrario) es rapidísimo, no hay ninguna transición, pues, lejos de buscar un contraste, lo que el realista quiere es que la ficción se convierta en realidad, en vida; es decir, que la fantasía coincida con la vida para mostrar su verdad entrañable.

El endecasílabo ataca con toda la fuerza y presencia de dos vocativos la melodía que ha de ser el final del Canto:

¡Oh Teresa! ¡Oh dolor!

El tema de Teresa —*¡Oh Teresa!* (19), *¡pobre Teresa!* (20), *Teresa mía* (21), *Teresa* (22), *¡Pobre Teresa!* (31), *¡Pobre Teresa!* (39)— termina con un doble acorde: *¡Oh cruel! ¡muy cruel!* (42 y 43), explosión del corazón, cuyo estallido hace que el mundo se derrumbe y se convierta en un montón de cinismo; el sueño subjetivo se ha venido abajo, y el hombre sale ensordecido, confuso, ciego, sin encontrar sentido a la fábrica que contempla todavía en pie y derrumbada.

El nombre de la amada de la realidad unido íntimamente al dolor y en seguida las lágrimas (octavas 19, 20 y 21). Primero, la queja por no tener el consuelo de llorar; después, el tormento de ver transformado en dolor lo que fue placer:

> ¿Quién pensara jamás, Teresa mía,
> Que fuera eterno manantial de llanto,
> Tanto inocente amor, tanta alegría,
> Tantas delicias y delirio tanto?
> ¿Quién pensara jamás llegase un día,
> En que perdido el celestial encanto,
> Y caída la venda de los ojos,
> Cuanto diera placer causara enojos?

El doble movimiento que forma la estrofa es un movimiento interrogativo que contiene una exclamación sumamente paliada. El sentimiento de sorpresa increíble tiene la sordina del desencanto. En medio de la realidad desoladora hay una estela de nostalgia. Situado en el presente se puede contemplar el pasado, no en su estado de pasado, sino en su estado pasado de presente, y por eso la realidad actual con su desengaño y dolor no se sobrepone a la ternura. En la realidad abrumadora de la desilusión, Teresa es aún su Teresa —*Teresa mía*—; parece como si se encontrara la intimidad del desencanto. La pareja del encanto es todavía la pareja en el desencanto. Los versos están envolviendo en una suavidad amortiguadora esa frágil unión que sabe ya de la separación irremediable. La unión en la desilusión da lugar a vivir el presente pasado de la ilusión no como pasado, sino en el pasado, es decir, la evocación romántica, tan distinta de la evocación de las épocas precedentes y del presente en el pasado impresionista, de la búsqueda proustiana. Espronceda no trata de volver al presente en el pasado su calidad de presente, por eso la evocación nos entrega una realidad de líneas esfumadas en una atmósfera sentimental de aparecidos y fantasmas.

En Proust es igualmente verdad decir que el pasado se trae hacia el presente como que el presente se lleva hacia el pasado. Proust, al rechazar la dimensión objetiva temporal, puede manejar el tiempo subjetivamente y aprehender el instante a la vez en su continuidad o aislado. Con el Impresionismo el tiempo deja de ser una serie de momentos que se reúnen en tres grupos: pasado, presente, futuro; es una corriente, cuya marcha puede detenerse o hacerla cambiar de dirección. Desde el presente se dirige la conciencia hacia el pasado, pero también puede colocarse en el pasado y remontar hasta el presente. Las fronteras temporales no existen, las gradaciones del tiempo se suprimen.

En cambio el romántico quizá sea el primero en aprovechar junto a la perspectiva espacial la perspectiva temporal, que luego queda incorporada al siglo XIX, hasta que el Impresionismo se libera de ambas y da al espacio una calidad temporal; precisamente lo opuesto de lo que hizo el Barroco, que tradujo el tiempo en términos espaciales ético-religiosos.

La sensación impresionista tiene que mantenerse en una lejanía más o menos próxima; si manipula un punto muy distante lo actualiza —la manera de Unamuno o de «Azorín» de ver la historia viviéndola: Berceo está con ellos, o Melibea y Don Quijote; se recorren las rutas del Cid y del Arcipreste de Hita y de Don Quijote—. Se pasa de la historia al presente y viceversa; de la vida al arte y al contrario; de un sentido a otro sentido. Si el romántico nos lleva a una lejanía remota, la mirada recorre todo el camino del pasado, el hombre se traslada con la mayor facilidad a otra época.

La figura de Teresa evocada con los ojos («Aun *parece*, Teresa, que te veo») y el oído («y oigo tu voz dulcísima»), es aérea, un ensueño, una rosa temprana, «angélica, purísima y dichosa»; se sitúa el amor en el tiempo (22, 23, 24):

Que así las horas rápidas pasaban,
Y pasaba a la par nuestra ventura;
Y nunca nuestras ansias las contaban,
Tú embriagada en mi amor, yo en tu hermosura.

La vida de Teresa se traduce en ritmo: primero, el movimiento tranquilo de la pureza (río); después, la marcha agitada de la pasión (torrente); por último, la inmovilidad pútrida del pecado (estanque). Aun ahora podemos ver la impronta de los tres momentos del cristianismo, siempre que subrayemos la desviación romántica. Ese ritmo se refuerza con el curso solar:

¿Cómo caíste despeñado al suelo,
Astro de la mañana luminoso?

Y con el destino de Luzbel:

Angel de luz, ¿quién te arrojó del cielo
A este valle de lágrimas odioso?

La desgracia de Teresa es la desgracia de la mujer: «hermoso ser para llorar nacido», nacido para transmitir la herencia de dolor (27). Esa estampa de la mujer romántica va acompañada del grito de la época: *huíd, huíd* (estrofas 28 y 29).

Huida y recuerdo

Hay que huir del amor, cuya pureza ha sido envenenada por el infierno. En la octava 30 vemos al amor convertido en una tumba, en una memoria, comenzando el tema de «un recuerdo de amor», que abarca de la octava 31: «¡Pobre Teresa! al recordarte siento/un pesar tan intenso...» a la 36:

Un recuerdo de amor que nunca muere
Y está en mi corazón; un lastimero
Tierno quejido que en el alma hiere,
Eco süave de su amor primero:
¡Ay! de tu luz en tanto yo viviere
Quedará un rayo en mí, blanco lucero,
Que iluminaste con tu luz querida
La dorada mañana de mi vida.

Vemos todo el dolor de Teresa, toda su desdicha; la aérea y dorada mariposa, el ensueño, la rosa en tallo gentil se ha convertido en un rostro cadavérico y hundido con los ojos escaldados por el llanto. Para aumentar el infortunio, el alma romántica exclama: «¡Y tan joven, y ya tan desgraciada!». Teresa ha naufragado en el mar engañador de la sociedad mezquina; no ha caído sobre ella la maldición de Dios, la maldición de un dios; es la sociedad la que aplasta con su peso tan enorme como mediocre el corazón palpitante del individuo. Autoridad de la sociedad que el Realismo-idealista en su afán de justificarla llegará a deificar.

Pero ese recuerdo de amor que atormenta el corazón es también lo que le hace vivir —*¡Ay! de tu luz en tanto yo viviere...*—. El Canto a Teresa es el grito desesperado de la vida:

¡Ay! al amor abrí tu alma temprana,
Y exalté tu inocente fantasía:
Yo inocente también... (37).

. . . .

Y alegre, audaz, ansioso, enamorado,
En tus brazos en lánguido abandono,

De glorias y deleites rodeado,
Levantar para ti soñé yo un trono:
Y allí, tú venturosa y yo a tu lado,
Vencer del mundo el implacable encono (38).

Ese sueño de la inocencia primera (pasado) aun hace más amargo el dolor de la realidad (presente), el sentido de la culpa, la agonía del hombre (39, 40, 41). El Canto termina, después de ese animado revoloteo acentual de la estrofa 38, con el mayor sufrimiento romántico, el de la aridez de corazón, y las lágrimas que no pueden brotar se convierten en una carcajada de escarnio. El dolor de Teresa ha tenido el consuelo de la muerte, porque aun esa muerte puede ser el consuelo de la vida; la cuestión es terminar la angustia insoportable. Pero Espronceda tiene que sepultar su dolor en sí mismo, tiene que hacer de su corazón una sepultura, y ha de vivir en el mundo, en la realidad de los hombres y el mundo como una sombra. En la sepultura un cadáver agusanado. En el corazón un recuerdo que carcome la vida. Uno de los significados de lo macabro en el Romanticismo queda expresado claramente.

De la esperanza a la desesperación

El encuentro soñado y necesario del hombre con la mujer, manantial posible de toda la alegría de la vida, es la fuente de donde brota todo el dolor. Su inmensidad no logra encubrir la pequeñez y debilidad humanas, insignificancia del hombre que aumenta todavía más la amargura de su ambición, de ese sueño tan sincero de querer ser héroe, caballero, trovador. Ni sus sueños le salvan; en el momento de la caída se le aparecen como algo grotesco y pueril de lo que tiene que avergonzarse; entonces ve cuán lejos está la rebeldía del hombre de la grandeza luciferina. El Impresionismo sabrá gozar con la caída, verá la grandeza del fracaso, descubrirá el encanto de lo vulgar, se sentirá orgulloso de ser especialista en matices; el romántico vive carcomiéndose, desesperado al contemplar que todo cuanto toca, todo cuanto sueña se convierte en amargura y podredumbre.

Al lado de esa vida que es el Canto a Teresa, de ese dolor que ha de servirnos para abarcar el mundo, hay que leer la Carta de Elvira en *El Estudiante de Salamanca* y las estrofas que son como un «Canto breve a Teresa» (vs. 4288-4335) de *El diablo mundo*. Elvira, Teresa, Salada son las tres proyecciones femeninas del alma de Espronceda, con las cuales expresa su sentido de la vida —de una vida que fatalmente tiene que ser culpa—, dolor que se anega en el tedio que da lugar a la cuarta figura de mujer, Jarifa, como Elvira fuera del poema. El mundo y la mujer concebidos en la ilusión de la pureza primera se quedan reducidos a las cenizas amargas del cinismo. La lección cristiana de desengaño se rechaza, su lugar lo ocupa la carcajada cínica de la ironía desesperada.

En el cristianismo, el desengaño es el momento profundo de la renovación esencial; partiendo del desengaño se descubre lo que es la realidad, la temporalidad de lo real y el hombre resucita para la vida eterna. El desengaño alumbra el manantial profundo de la esperanza. En el Romanticismo, la realidad comienza por coincidir exactamente con la ilusión, vivir no es otra cosa que ese ir desprendiéndose la realidad del ideal, ese irse realizando, materializándose el ensueño, proceso que va acompañado de una disminución de la ilusión. A medida que la realidad va aumentando, la ilusión va disminuyendo, esos dos ritmos conducen a la desesperación, a la pérdida de toda esperanza.

La Vida del Hombre:

El hombre nuevo en el mundo

CANTO III

La continuidad sentimental del poema.—Descripción del Canto III

La visión que sirve de introducción a *El diablo mundo* nos da la esencia del ser del hombre, y la visión con que comienza el poema nos da la esencia del vivir, esencia que en el Canto a Teresa aparece reducida a los límites de una vida personal: la de Espronceda. Con esta visión general y esta experiencia particular, con estas dos escalas captamos el sentido y el concepto de la vida romántica, que no se presentan como forma, sino como vida. A la primera visión del poeta le sigue la visión del viejo, y a la vida de Espronceda le sigue la vida del hombre.

El mundo imaginativo del primer nocturno daba lugar a esa construcción tempo-espacial del nocturno del viejo. La trayectoria autobiográfica del dolor del Canto a Teresa es la trayectoria del dolor de la vida humana (Cantos III a VI). El Canto III está escrito en estancias de endecasílabos y heptasílabos (vs. 1852-2380) y octavas (vs. 2381-3020). Las estancias, completamente irregulares tanto en el número de versos como en su disposición, abundan en pareados; la rima se destaca también por dos veces en las octavas (vs. 2477-84 y 2565-

72), para subrayar la situación humorística con esdrújulos y agudos.

Adiós a la juventud

Aún estamos oyendo la risa de locura desesperada en que se ha convertido el dolor, aún estamos embargados por esa melodía de ternura apasionada, por ese largo lamento causado por el triángulo de la mujer soñada, Teresa y el poeta, cuando comienzan a sonar endecasílabos y heptasílabos con un aire de desenfado e indiferencia, con un buscado tono de facilidad narrativa. El primer movimiento (vs. 1852-1920) es un adiós a la juventud.

El poeta, afeitándose, contempla sus canas, recuerda a sus autores latinos; el hecho corriente, precisamente por sabido y consabido, aún le desespera más. El endecasílabo no puede soportar tanta banalidad y deja escapar un canto tembloroso:

> Adiós amores, juventud, placeres,
> Adiós vosotras las de hermosos ojos,
> Hechiceras mujeres,
> Que en vuestros labios rojos
> Brindáis amor al alma enamorada;
> Dichoso el que suspira
> Y oye de vuestra boca regalada,
> Siquiera una dulcísima mentira
> En vuestro aliento mágico bañada.
> ¡Ah! para siempre adiós: mi pecho llora
> Al deciros adiós: ¡ilusión vana!
> Mi tierno corazón siempre os adora,
> Mas mi cabeza se me vuelve cana.
> (vs. 1908-20)

El tema del adiós al mundo, de tan larga tradición, tiene ahora una conmovedora modulación personal. Esa sinceridad de sentimiento se limita para dar lugar a un apunte de paisaje en el cual se acogen algunas reminiscencias literarias (vs. 1921-39), quizá con la intención de hacer resaltar la fecha actual de su poema: «Y era el año cuarenta en que yo escribo/de ese siglo que llaman positivo». Junto a la fecha la acción: el viejo convertido en joven. Para gozar con la obra romántica y captar la fuerza que la genera es necesario ver la constante transposición sentimental del autor al personaje:

> Cuando el que viejo fue, por la mañana
> En vez de hallarse la cabeza cana
> Y arrugada la frente,
> Se encontró de repente
> Joven al despertar, fuerte y brioso.

Es necesario ver cómo el poeta vive sentimentalmente su personaje. Poeta y viejo tienen una visión, poeta y viejo sufren con dolor el peso de los años. Una misma experiencia es vivida en dos planos distintos, en lugar de enfrentarnos con la objetivación formal del mundo moral o sentimental.

El tema de «El diablo mundo»

En el nocturno del Canto I, al hombre caduco le ofrecía la muerte, por fin, la paz, pero la vida le arrastra y logra que le siga. No hay ninguna semejanza con el tema de «Fausto»: ni rejuvenecimiento, ni pacto con el demonio, trocando el alma por el mundo. Este viejo, del cual aún ignoramos el nombre, es el hombre caduco, y a ese hombre, cifra y compendio de la humanidad, se le da a elegir entre la muerte y la vida. La vida es dolor y sufrimiento, sin embargo hay en ella un tal impulso y capacidad de seducción que atrae constantemente al hombre y le domina, quizá ni es exacto afirmar que el vivir es un acto voluntario. La vida está por encima de la voluntad. En realidad el hombre caduco no elige, se siente consolado, adormecido por la muerte, pero la vida le arranca de ese descanso. Parece como si el vivir fuera un acto, más que misterioso, irracional. No hay pacto, no hay nada fáustico, no está el hombre entre el mal y el bien. El hombre es un ser hecho de vida, tiene que vivir; no puede saber de la muerte nada más que a través de la vida, es su ansia connatural de vida la que le ha hecho inventar la inmortalidad y desde el tiempo le hace soñar la eternidad.

El tema de «Fausto» es un obstáculo para penetrar en *El diablo mundo*. Lo que mueve a Espronceda es el ritmo de la humanidad, de las estaciones, del curso del sol; ese terminar para volver a empezar, repetición (¿renovación?) constante en la cual se ha perdido todo propósito, todo sentido de finalidad. Del Romanticismo al Impresionismo el tema del siglo XIX no es otro; en España, Pío Baroja podrá comparar la vida a las vueltas de un tíovivo. No hay el menor peligro de confundir el alma del siglo XIX con el alma griega, pues, aparte de que en el siglo XIX con la muerte termina lo conocido y no se piensa en una reencarnación, el hombre cristiano necesita una finalidad en la vida, y ese vacío de finalidad que siente el siglo XIX lo suple conservando redobladamente otra característica cristiana: la acción. Una acción que cuando no es un debatirse interior es una actividad externa sin relación con el más allá, pero traduciendo siempre una íntima angustia.

Así se explica que los que han estudiado *El diablo mundo* partiendo del tema de «Fausto» no pudieran comprenderlo, pero en lugar de darse cuenta de que estaban en el mal camino, creían que Espronceda no había logrado delimitar su asunto.

El nombre hecho lirismo histórico

El rejuvenecimiento del viejo es un renacer, de aquí su olvido de todo estado anterior, que tanto ha perturbado a algunos críticos, pues con este joven libertado de recuerdos —incluso y principalmente del recuerdo de la lengua— se expresa el anhelo y el ansia románticos, que llena también todo el siglo XIX de sentimiento adámico: sentimiento de lo primero y de lo nuevo, poder aprehender la realidad original, no sentir entre el mundo y el yo la interposición de la historia, poder mirar, oír, sentir sin que se imponga una realidad elaborada por otros ojos, otros oídos, otros corazones:

Y libre de recuerdos la memoria,
Y el alma y todo nuevo.
Todo esperanzas el feliz mancebo.

La nube más ligera
No empañaba la atmósfera siquiera
De su nuevo atrevido pensamiento,
Nuevo su sentimiento
Y pura y nueva su esperanza era;
A su espalda las aguas del olvido
Sus antiguos recuerdos se llevaron
Y de la vida con raudal crecido
Correr el limpio manantial dejaron.

Y era el primer latido
Que daba el corazón, y era el primero
Pensamiento ligero
Que formaba la mente, y la primera
Nacarada ilusión del alma era:
Sus ojos a mirar no se volvían
Los recuerdos que huían
Y el denso velo de la muerte oculta,
Porque muertos habían,
(vs. 1958-78)

No es un pasar lento de un estado a otro, no es un irse desprendiendo poco a poco del recuerdo de una vida pasada, no es un olvido, sino un volver a comenzar de nuevo, libre incluso del nombre. Nuevo pensamiento, nuevo sentimiento, nueva esperanza; primer latido, primer pensamiento, primera ilusión, estas dos cualidades que acompañan el renacer del viejo —nuevo y primero— conducen al desarrollo del motivo del «nombre» hecho lirismo histórico (1982-2008):

> En el nombre va envuelto
> El despecho, el placer, las ilusiones
> De cien generaciones
> Que su historia acabaron
> Y cuyos nombres sólo nos quedaron.
> . . . .
> Porque el nombre es el hombre
> Y es su primer fatalidad su nombre,
> . . . .
> Y arranca su memoria del olvido.
> Y viviendo de ajena y propia vida,
> Alma de los que fueron, desprendida
> Júntase al alma del que vive y lleva
> Cual parte de su vida en su memoria
> La ajena vida y la pasada historia.

Fatalmente han de recordarse los versos de Shakespeare, pero al recordarlos hay que procurar sentir el diferente mundo que reflejan. En el Barroco el nombre es una cifra breve (Fray Luis de León) del ser, de este plano ontológico el Romanticismo nos traslada al histórico; pasamos de la esencia del ser a la continuidad del ser. El lirismo barroco se esforzará en abarcar y expresar la unidad total, el lirismo romántico expresará la temporalidad, expresará ese ser del cual la vida ajena en forma de memoria —memoria de un origen mítico, memoria de una vida histórica, memoria de un pasado personal— es parte de la propia vida. Y así al nombre se le considera como el «clavo de donde cuelgan nuestras vidas». No es la revelación de nuestro destino, de la esencia de nuestro ser, la forma de nuestro ser; sino lo que sujeta y retiene, lo que vacía a nuestro ser de parte de su contenido personal y hace que nuestra vida aparezca «en mil jirones pálidos rompidos». En la época de la democracia industrial se conseguirá invalidar en absoluto el nombre, pero, por circunstancias que no eran previsibles en el Romanticismo, se pierde también la personalidad —el individuo liberado de la pauta y guía de la tradición se anega en el funcionalismo impersonal.

Dentro del ritmo digresivo, presenta el poema al joven, es decir, la belleza romántica masculina (2009-2043), que se sintetiza, después de haber destacado entre otras partes la frente iluminada por el pensamiento, en la impresión de belleza y fortaleza. Es una aurora toda claridad (2044-47), y en seguida la digresión se vuelve a apoderar del Canto para expresar la trágica melancolía romántica: no es posible imaginar el alma en su pureza primera (2048-2099). Lo romántico de esta tragedia humana es la manera histórica de sentirlo: «que ora a la infancia, a la niñez llegamos,/luego a la juventud»; nosotros que no somos ni el primer hombre, ni el segundo, «sino Dios sabe el cuantos, que no tengo/número conocido». Y la luz de la pureza, en lugar de hacer nuestra vida toda clara, hace resaltar más la oscuridad de nuestros recuerdos penosos.

La ventana romántica

En los versos 2100-2105 planta al joven (la imagen de la juventud soñada, deseada): ardiente, vigoroso, fuera de sí de esfuerzo, lleno de alegría, rebosándole gozo el rostro y el alma toda alborozada, sintiendo un secreto impulso. Esa juventud, esos sentimientos de juventud se traducen en la deliciosa descripción de la ventana romántica (2106-45):

Era en el mes de abril una mañana,
Con un rayo de sol dorado el viento
Alegraba el cristal de su ventana,
Y mecidas en blando movimiento
De varios tiestos las pintadas flores,
Sus corolas erguían
Y al trasparente céfiro esparcían
Juveniles aromas y colores.

Desplegaba ligera
Entre las flores y el cristal sus alas,
Ninfa de la galana primavera,
De su color vestida y ricas galas,
En círculos volando bulliciosa
Alegre mariposa,
Sus alas dando al sol rico tesoro
De nieve y de zafir con polvos de oro.
Y la aromosa flor que se mecía,
Y el aliento del aura enamorada,
Y la brillante luz que se bullía,
Y el inquieto volar de la encantada
Mariposa feliz girando en torno,
Imágenes doradas de la vida
Eran y rico adorno
Que a la ilusión del porvenir convida.
Flores, luces, aromas y colores,
Que sueña el alma enamorada cuando
Guardan su sueño a su alredor cantando
La virtud, la esperanza y los amores.

Y un alegre rumor que el vago viento
En confundido acento
De la calle elevaba,
Bullicio de la gente que pasaba,
Cada cual acudiendo a sus quehaceres,
Acá y allá esparcidos

Su afán mezclando y diferentes ruidos
Al confuso rumor de los talleres:
Escalando a la estancia del mancebo
Con estrépito alegre y armonía,
A su encantado pensamiento nuevo
Regocijo añadía.

Una ventana que se abre a una alegre mañana de abril, ventana de claro cristal con sol, con tiestos y una mariposa; ventana por donde entra una dorada brisa. Los amores, la virtud, la esperanza que sueña el alma en su primavera se hacen flores, colores, luces, aromas; se unen lo abstracto y lo concreto, la sensación y el sentimiento para crear el adorno de la vida y ser su imagen dorada. La ventana se abre a la alegría primaveral y da al mundo, del cual llegan el bullicio, los ruidos, el confuso rumor del trabajo en el taller, pero todo llega al oído del joven «con estrépito alegre y armonía». El alma y el mundo frente a frente a través de la ventana. La ventana romántica no es un marco que encuadre el mundo: composición abarcadora que es el límite definidor del Renacimiento; lienzo de cielo o de mar, de luz o tierra, imagen presente del infinito barroco; inmensidad decorativa en el Rococó; mundo dominado por la razón en el Neoclasicismo. La ventana romántica es el medio por el cual se comunica el alma con el exterior y el mundo con el interior; comunicación desbordada que es una comunión. El mundo y el alma se unen o en el sol mañanero de la esperanza y la ilusión o en la tempestad de la amargura y el decaimiento.

Cuando Jorge Guillén en su época haga del cielo una huerta y de la ventana una hortelana —*Noche del gran estío*— no llevará a cabo una labor de alquimia en busca de una transmutación de valores sentimentales y psíquicos:

¡Tanto día astral me acota
De la huerta más remota
Con su hueco la ventana:
La más pomposa hortelana!

Con una imagen que le permite dar al mismo tiempo la línea, el volumen, la distancia, la actitud abarcadora de toda la variedad de la belleza de la naturaleza en un gesto de oferta que tiene la alegría del don gratuito, Jorge Guillén entrega la identidad esencial —astros, frutos para la mirada— sin la menor confusión. Para Jorge Guillén la ventana no es un medio de comunicación y comunión, sino el instrumento imaginativo que capta una forma esencial.

Espronceda siente en la situación de su personaje la emoción de la coexistencia de lo extraordinario y lo corriente:

¡Quién en la calle de Alcalá creyera
Tanta felicidad que se escondiera
Y en un piso tercero!
(vs. 2147-49)

La realidad no existe, es el alma la que con su felicidad o su dolor manipula la realidad, la cual no debe ser examinada en detalle. De un lado, el romántico necesita una gran amplitud, un gran tema; de otro, teme el pormenor, teme el detalle; cree que un examen minucioso hace desaparecer la belleza del mundo y sobre todo la bondad. El análisis no le sirve para afirmarse en una porción de la realidad por pequeña que sea, sino para hacerle dudar, y la angustia de su estado es que no tiene más remedio que mirar el mundo con un espíritu inquisitivo:

Vamos andando pues y haciendo ruido,
Llevando por el mundo el esqueleto
De carne y nervios y de piel vestido.
¡Y el alma que no sé yo do se esconde!
Vamos andando sin saber adonde.
(vs. 2180-84)

Si se inquiere, no se logra otra cosa que hundirse en la duda; si no se pregunta, el hombre vive sin tino. La bella arquitectura del Renacimiento, ese cosmos compuesto de ángel y fiera del Barroco, se ha quedado convertido en la materia del siglo XIX, en un esqueleto vestido. Se ignora dónde está el alma, no se sabe adónde se va.

Contacto de la vida nueva con la sociedad

«Vagaba en tanto por la estancia en cueros» (2185), a partir de este verso el joven entra en relación con la sociedad de la época romántica, pues a su cuarto acuden, primero, el patrón de la casa de huéspedes, comerciante en algodón y concejal, después, con los vecinos, su mujer, un pintor, un médico y un periodista: «Se abrió de golpe la entornada puerta/y de tropel entraron los vecinos», endecasílabos (vs. 2381-82) con los cuales comienzan las octavas.

Se pinta a los diferentes tipos con un rasgo rápido y satírico, situándolos en un medio político-social. De una manera natural, se aleja Espronceda de todo contacto con el siglo XVIII. Patricio de la Escosura, que sentía gran admiración y cariño por Espronceda, también tuvo la desgracia de relacionar *El diablo mundo* con el *Fausto* y añadir *El ingenuo;* su desdichada ocurrencia hizo fortuna y se ha convertido en un obstáculo para aprehender el poema y penetrar en su mundo.

El poeta no se acerca a la sociedad para contrastarla

en un afán didáctico y moral con la razón, lo que le mueve es la pasión; y no con ideas, sino desde su corazón, quiere descubrir las etapas que recorre el hombre en el mundo hasta perder toda esperanza. No se mueve en un plano de ideólogo ni aun ético; se sitúa en el nivel de lo absoluto, y evitando todo detalle nos conduce de etapa en etapa por el camino que siempre ha recorrido la humanidad y que fatalmente tiene que seguir recorriendo. Hay que descartar la asociación con Goethe y Voltaire no sólo para las líneas generales y conceptuales del poema, sino y especialmente para los diferentes elementos que lo forman.

Alguna idea muy vital en el siglo XVIII (Hogarth) puede continuar en el siglo XIX, por ejemplo la comparación entre el desnudo humano y el traje (vs. 2413-2420):

> Y muy cara se vende una pintura
> De una mujer o un hombre en siendo buena,
> Y estimamos desnudo en la escultura
> Un atleta en su rústica faena:
> Mas eso no: la natural figura
> Es menester cubrirla y darla ajena
> Forma, bajo un sombrero de castor,
> Con guantes, fraque y botas por pudor.

Pero Espronceda no quiere hacer resaltar la belleza natural, ni subrayar la ridiculez o extravagancia a que conducen los convencionalismos sociales y la moda; esto es lo que se propone de completo acuerdo con las ideas de su época el pintor del siglo XVIII. El poeta presenta una de tantas paradojas del hombre, quien puede admirar el cuerpo humano en el lienzo o en una escultura, pero no en la vida social, para hacer más cómica la situación de la mujer y sus aspavientos. A pesar de su semejanza, Espronceda tiene una actitud radicalmente diversa de la del siglo XVIII. No nos hace observar una paradoja con la intención de suprimirla o de iluminar nuestro espíritu con la belleza natural, sino con el propósito de que veamos que esa paradoja —admirar en el lienzo lo que ocultamos en la realidad— es la base de un sobresalto muy razonable. El siglo XVIII, al poner al lado del cuerpo desnudo el cuerpo vestido, nos está dando una lección: el hombre, incapaz de ver la belleza natural, inventa el ridículo artificio social. A Espronceda le divierte la idea de ese individuo sorprendido en una de tantas contradicciones: lo que admiramos en un medio, lo rechazamos en otro.

Para ver la diferencia con la escena de Voltaire, cuando dos señoritas sorprenden al Ingenuo desnudo en el río (dejando aparte la voluntaria irreverencia e indecencia al aludir a los cambios que ha sufrido el rito cristiano), hay que notar el cinismo rococó con que se señala la complacencia de las dos damiselas al contemplar el desnudo y el sexo masculino. Complacencia muy rococó, pues va acompañada de una sensual ternura que se convertirá en sentimiento moral, el cual llegará hasta el heroísmo y dará lugar a una muerte sensible rodeada de lágrimas que hacen florecer una virtud basada en la razón. No hay una separación entre los sentimientos naturales y la virtud; al contrario, sólo obedeciendo a la naturaleza humana se llega a la virtud, a la felicidad y a la alegría. El medio en que se desarrolla la escena no se debe suprimir.

El movimiento de la acción, el tono y la manera como Espronceda narra el encuentro de la mujer del concejal con el joven en el cuarto están aprendidos en Byron, aunque nada tengan que ver este joven y esta mujer con Don Alfonso, Julia y Don Juan. La situación es totalmente diferente de la escena imaginada por Voltaire, aunque se trata de una mujer que ve a un hombre desnudo; los personajes son completamente distintos, el medio es diverso, otra la relación y otra la intención. En lugar de la ironía rococó que se desenvuelve con gracia serpentina, haciendo que el pudor colore la curiosidad femenina, en Espronceda tenemos los aspavientos, las reticencias, las interrupciones con que se ridiculiza a una señora casada de bastante edad. Voltaire sorprende una natural curiosidad y vuelve a imaginar una situación divertida y alegre, completamente posible en la realidad. Espronceda presenta una escena completamente inverosímil; la presencia varonil tiene algo mítico y de fiera, y su cuerpo sólo sirve para hacer resaltar la vejez y la fealdad de lo que le rodea. Más tarde (vs. 2921-24), ya en la calle, se repetirá la escena y como es natural sin ninguna gracia dieciochesca, sino con un trazo rápido y burlón:

...aquí chilla
Una mujer al verle andar desnudo,
Y algunas que los ojos se taparon
Por pronto que acudieron le miraron.

El Rococó nos deja una situación amable, delicada, deliciosa en que juegan el pudor de la educación y la sensualidad de la naturaleza: «Mais la curiosité l'emportant bientôt sur toute autre considération, elles se coulèrent doucement entre les roseaux; et quand elles furent bien sûres de n'être point vues, elles voulurent voir de quoi il s'agissait». Que vieron bien de lo que se trataba, lo declara ingeniosamente el autor cuando el Ingenuo se compara con un eunuco: «et quoique mademoiselle sa tante et mademoiselle de Saint-Yves, qui l'avaient observé entre les saules, fussent en droit de lui dire qu'il ne lui appartenait pas de citer un pareil homme, elles n'en firent pourtant rien, tant était grand leur discrétion». El Romanticismo crea apasionadamente una acción en la que la desnudez simbólica de la inocencia primera sacude como un látigo la costumbre. Sólo la ramera se atreve a mirarle. Al Rococó, con su ingenio de salón, lo que le preocupa es la sociedad y lo que se propone es mejorarla. Al Romanticismo lo que le interesa es descorrer los velos que ocultan la realidad de la vida.

La aparición en una casa de huéspedes, piso tercero, de la calle de Alcalá, de este joven desnudo, fuerte y bello, que nada sabe, ni hablar, hubiera producido admiración, si el burgués del siglo XIX fuera capaz de admirarse en lugar de asustarse. No se está preparado para aceptar lo que se sale del lugar común y corriente. Un joven sin pasado, sin recuerdos, sin historia, que todo cuanto mira y oye lo ve y escucha por vez primera; la inocencia y la originalidad, la personalidad se han presentado en esa sociedad del concejal algodonero, del médico materialista, de la vieja mujer casada, del pintor que no pinta, del escritor periodista, y lo único que les produce la presencia de este joven —la presencia, es claro, del poeta— es susto. Ni siquiera una conmoción revolucionaria, sino el barullo, el desorden, la inconsciencia, la chirigota de un motín. Ni lo aceptan, comprendiéndolo o sin comprenderlo, ni se conmueven, ni lo rechazan airadamente; esa sociedad sólo se asusta, todo lo pone a su nivel, todo lo empequeñece y rebaja. Ese espesor del prejuicio, del lugar común, de la frase hecha, de la costumbre (en el mal sentido de la palabra), de la tradición (en el mal sentido de la palabra), tanto en arte, como en moral, como en la vida política y social, como en la vida espiritual, envuelve sin darse cuenta una mirada prístina, una mirada con tal fuerza y tal deseo que es capaz de llegar a las capas más profundas del corazón y del mundo.

En la calle de Alcalá, en cualquier calle de Alcalá, en un piso tercero, en cualquier piso tercero, en una casa de huéspedes, esto es, en la casa que el hombre habita y en donde no es nada más que un huésped, ha tenido lugar el gran misterio, el gran prodigio del paso de la noche al día, del paso de la muerte a la vida, de la sustitución de la vejez por la juventud. Es el gran prodigio de la rotación eterna: al invierno le sigue la primavera y a la muerte la vida. En esa casa, esa noche, la rutina petrificadora se ha cambiado en inocencia, y esa sociedad lo vive no ya sin notar la maravilla, sino haciendo de ello un pequeño tumulto, un trastorno superficial de lo consabido y preestablecido.

El Canto ha empezado con un ritmo de una gran naturalidad y de una melancólica tristeza que se va haciendo apasionada hasta llegar al máximo dolor del ser histórico del hombre; se adueña del verso la serenidad para cantar la belleza varonil y en seguida se llena de una deliciosa suavidad para captar la diáfana alegría de la primavera, cayendo inmediatamente en el desconcierto y la desorientación, sentimientos con los cuales dibuja irónica y satíricamente los tipos sociales que rodean el prodigio de la vida nueva. Junto al ritmo ascendente y descendente, que casi siempre se consigue por el movimiento silábico, tenemos el paso de un pianísimo a un fortísimo, que, más que darnos una impresión física, nos transmite un estado de ánimo; en lugar del número de sílabas es el acento el que crea estos diferentes planos.

El endecasílabo está ya dentro del cauce de la octava, cuando el joven da un paso hacia adelante y todos los que se encuentran en la habitación salen precipitadamente, tropiezan, caen, ruedan por las escaleras,

> Y acude gente, y el rumor se aumenta,
> Y llénase el portal, crece el tumulto...
> (vs. 2573-74)

El motín y la oposición

Es el día de asonada y motín a lo siglo XIX, el estado normal de las grandes capitales europeas desde la Revolución francesa. Todo es de una gran ligereza de movimiento. Se forma un grupo, carreras, gritos, ir y venir, se dispersa. Quedan unos heridos, quizá algún muerto, unas gotas de sangre. No se sabe qué ha ocurrido, ni por qué, ni cómo, ni quién es el responsable. No ha tenido consecuencias, o puede caer un gobierno, un trono; nada sucede o se fusila a un individuo, a un grupo; de la tranquilidad se pasa a la exaltación, se vuelve a la calma. Es la inestabilidad en que vive el burgués del siglo XIX. Todo desesperación, todo gritos, todo dolor, y después la postración. Se interpela al Gobierno en la Cámara, la Oposición se enardece en el ataque:

> ¡Oh imbécil, necia y arraigada en vicios
> Turba de viejas que ha mandado y manda!
> Ruinas soñar os hace y precipios
> Vuestra codicia vil que así os demanda:
> ¿Pensáis tal vez que los robustos quicios
> Del mundo saltarán si aprisa anda,
> Porque son torpes vuestros pasos viles
> Tropel asustadizo de reptiles?
>
> ¿Qué basto plan? ¿Qué noble pensamiento
> Vuestra mente raquítica ha engendrado?

¿Qué altivo y generoso sentimiento
En ese corazón respuesta ha hallado?
¿Cuál de esperanza vigoroso acento
Vuestra podrida boca ha pronunciado?
¿Qué noble porvenir promete al mundo
Vuestro sistema de gobierno inmundo?
(vs. 2629-44)

El ataque tiene tal empuje, el papel de la Oposición es tan favorecido y pertenece hasta tal punto al Romanticismo, que uno se puede imaginar fácilmente al Gobierno deseando cambiarse con ella. El verso alcanza el ritmo acentual de vorágine, con el chasquido de la segunda sílaba y la cuarta, que es como un doble latigazo: «Pasad, pasad como funesta plaga», «Pasad, huíd, que vuestro tacto estraga»; es el mismo vendaval de desolación de la poesía a Jarifa: «Pasad, pasad en óptica ilusoria», «Pasad, pasad, mujeres voluptuosas», o de *El canto del cosaco:* «Venid, volad, guerreros del desierto», o *A la degradación de Europa:* «Venid, doblad la envilecida frente».

Desde el verso 2575 hasta el 2780, en veintiséis octavas, Espronceda nos ha dejado probablemente el mejor testimonio histórico de la inquieta vida política española de la época romántica vista en la calle: la formación de la algarada, el cundir de los rumores, la desazón y desconcierto del gobierno, la salida de la tropa, el afluir y arremolinarse de la gente, la dispersión de la multitud. Nadie sabe lo que ocurre, pero todos, el indiferente y el bullanguero, el timorato, el político y el militar, el gobierno responden a esa nada con su propia inquietud, su exaltación, su intranquilidad y su temor. La vida pública en todas sus manifestaciones refleja exactamente el movimiento del corazón.

El hombre romántico en el mundo: «Pobre inocente alma»

Espronceda nos vuelve a acercar a la casa (2781-2844), creando con la incoherencia una divertida escena cómica, hasta que aparece de nuevo el joven desnudo en la calle: es el hombre en el mundo (2845-2924), presentado con el motivo «Pobre inocente alma» (2853 y 2893), «Alma llena de fe» (2897), «Alma que en la aflicción» (2901):

> Alma llena de fe, cándida ave
> Que dulces trinos en el bosque entona,
> Que sencilla de rama en rama vuela,
> Sin que su gracia al cazador conduela.

Al leer estas octavas conviene recordar la salida al mundo de Persiles, la salida de la mazmorra, con todo su arreo decorativo, su majestuoso y retórico dolor; y la aparición de Segismundo *(La vida es sueño)* con su musical lamento («¡Ay mísero de mí! ¡Ay infelice!»). Estas dos figuras del Barroco se asoman al espléndido escenario del mundo con un dolor deslumbrante que asombra, o con una belleza que llena de admiración y espanto, o con una voz que maravilla. No aparecen desnudos, sino con un adorno significativo y majestuosamente teatral. En el Barroco el hombre toma posesión del mundo con todo su dolor de ser rey, y el mundo responde sintiendo la presencia de ese ser extraordinario, que ha de plantearse inmediatamente el problema de su dignidad, es decir, de su libertad, de lo que hace que sea diferente al mundo. El lamento del hombre barroco tiene como desenlace la exaltación de la verdadera libertad (compárese también *Los baños de Argel, El amante liberal)*. En el Romanticismo es así:

Y la ciudad, y el sol, y sus colores,
La gente, y el tumulto, y los sonidos
En grata confusión de resplandores,
Y de armonías llega a sus sentidos,
Cual las que esmaltan diferentes flores,
Los verdes prados por abril floridos
Confunden con sonoro movimiento
Ruido y colores, si las mece el viento.

Los sentidos del hombre despiertan y encuentran lo que ellos mismos dan: la hermosura que da el alma, la lozanía y amor que da el corazón, la frescura de la mente, el color de la fantasía, la luz de la inocencia, el regocijo de su propia alegría,

Que el alma gozo al contemplarse siente
Del mundo en el espejo transparente.
(vs. 2875-76)

El mundo le devuelve al hombre su propia imagen —es un ejemplo del subjetivismo romántico—. El tenso dramatismo imponente del Barroco se convierte en ese alegre bullicio de la vida, en ese cúmulo vibrante de sensaciones. El hombre barroco ha venido al mundo, y lo sabe, a luchar con las pasiones, a sufrir y padecer, es el dolor cristiano; el hombre romántico se entrega inocentemente a los sentidos. Al comparar el Barroco con el Romanticismo, lo que me he propuesto ha sido hacer notar la diferencia entre dos épocas históricas que muy frecuentemente se confunden, especialmente cuando se trata del Barroco español e inglés.

El joven sale al mundo lleno de energía e ilusión, en una alegre mañana y pronto descubre el dolor (2925-final):

Sintió el dolor y el rostro placentero
Súbito coloró de azul la ira,

Y ya el semblante demudado y fiero
Con ojos torvos a la gente mira.

El Canto termina con este tema: la crueldad e injusticia de los hombres:

Que no hay placer donde el dolor no quepa.

Es la primera ilusión perdida en la niñez (2950). Y después de un dolor otro dolor. La cadena ya está eslabonada, es la vida:

Y éste fue entonces el dolor segundo,
Y dejaremos ya de llevar cuenta.

A su mirada inocente y primera han respondido el escarnio, la mofa, las piedras de los hombres, los cuales no saben hacer otra cosa que arrastrarle a la cárcel. El hombre fuerte, bello, inocente, desnudo no ha tenido que soportar la mirada de Dios, se ha encontrado con la sociedad mezquina y estúpida.

La Vida del Hombre:

La Cárcel de la Sociedad
El Amor y la Libertad

CANTO IV

El héroe del poema ni tiene un conflicto fáustico entre la ansiedad de sus deseos —saber, poseer, gozar— y su propia limitación, ni es un contraste dieciochesco entre la razón natural y la civilización. Espronceda con su héroe vive los nudos esenciales del destino de la humanidad.

La inocencia, la ilusión, la alegría y confianza primeras (tan distintas del dolor primero cristiano: posesión del Paraíso, pérdida del Paraíso, pasando de un estado a otro por medio de la culpa, de la desobediencia) sienten inmediatamente la crueldad y la injusticia que rodean al hombre, obra del hombre mismo.

La cárcel del mundo del cristianismo y la cárcel social del romanticismo

En el Canto IV (vs. 3021-4076), encontramos al héroe en la cárcel. No es la cárcel cristiana —el alma en la prisión del cuerpo y del mundo—, esa cárcel que ya el Barroco en sus dos últimos períodos convertirá en un laberinto, donde lo importante no es tanto estar encerrado como estar perdido, y el encierro no termina con la muerte, cuando la prisión se viene abajo volando el alma al cielo, sino cuando la inteligencia encuentra la salida.

A la cárcel cristiana (en parte por ser un lugar común transmitido de generación en generación) se la considera despectiva y humorísticamente en el Romanticismo como una jaula y el hombre es un canario.

En la cárcel del Canto IV despiertan los instintos del hombre en medio de la ruda bajeza social. Después de haber sentido la inocencia (la desnudez), el dolor, sin comprender la inocencia lo que pasa, hace del dolor su guía, su maestro.

Las cinco primeras octavas cantan el amanecer en un estilo que quiere ser clásico para que sirva de contraste con la manera directa, sencilla y natural del Romanticismo:

> Y resonando... etcétera; que creo
> Basta para contar que ha amanecido,
> Y tanta frase inútil y rodeo,
> A mi corto entender no es más que ruido:
> Pero también a mí me entra deseo
> De echarla de poeta y el oído,
> Palabra tras palabra colocada,
> Con versos regalar sin decir nada.
>
> Quiero decir, lector, que amanecía,
> Y ni el prado ni el bosque vienen bien;
> Que este segundo Adán no verá el día
> Nacer en los pensiles del Edén,
> Sino en la cárcel lóbrega y sombría...
> (vs. 3061-73)

Todo lector se da cuenta de la parodia; creo que lo que es necesario señalar, sin embargo, es que en la parodia no hallamos el espíritu «clásico» (siglos XVI, XVII, XVIII), sino el espíritu romántico. Ha sido un recurso utilizado muy frecuentemente el de la transición de un estilo a otro, ya en sentido cómico, ya para mostrar al hombre dominado por diferentes pasiones, ya como una variedad de mundos contrapuestos. Un lector del *Quijote* recordará inmediatamente con qué riqueza de propósito la ha utilizado Cervantes; Espronceda por medio de la transición consigue imponernos la realidad.

Amanece en la cárcel y en un tono llano y medio en broma medio en serio, se comenta la transformación del viejo en joven:

> Raro misterio que en conciencia siento
> No poder descifrar por más que ahondo.
> Mas ¿qué mucho si necio me confundo
> Sin saber para qué vine yo al mundo?

La interrogación exclamativa final introduce en el tono desenfadado la inquietud que conmueve toda la poesía romántica, y la octava siguiente nos da la escala de ese misterio:

> Que no es menor misterio este incesante
> Flujo y reflujo de hombres, que aparecen
> Con su cuerpo y su espíritu flotante,
> Que se animan y nacen, hablan, crecen,
> Se agitan con anhelo delirante,
> Para siempre después desaparecen,
> Ignorando de donde procedieron,
> Y adonde luego para siempre fueron.
> (vs. 3125-32)

El poema no arranca del misterio de un pacto, sino de un hecho cotidiano y corriente y profundamente misterioso: la vida, el misterio del vivir individual y de la especie. La actitud de Espronceda es la que caracteriza a todo el siglo XIX en sus diferentes épocas y que llega hasta el presente:

Basta saber que nuestro héroe existe
Sin entrar a indagar arcano tanto.
(vs. 3133-34)

Espronceda parte del primer dato que cree seguro: el de la propia existencia y la existencia de la especie. No es una manera cómoda de deshacerse del problema —la transformación del viejo en joven— que le plantea su poema, sino al contrario: nos hace sentir del modo más directo el misterio de la continuidad de la muerte y la vida, el sucederse de la puesta y la salida del sol, el círculo de las estaciones. A la claridad dieciochesca de la razón le sucede la turbia oscuridad del existir.

Al joven le ponen en la cárcel el nombre con que le ha llamado Espronceda desde un comienzo: Adán (al viejo se le llamaba Pablo, quizá como recuerdo simbólico cristiano). La vida elemental empieza: comer, beber, dormir, vestirse, y la alegría o la tristeza. En siete octavas (3141-96) se habla (una de tantas de las enseñanzas de Byron) de los comentarios de los periódicos y la reacción de la sociedad ante el acontecimiento.

La cárcel no es la prisión terrenal, temporal, la prisión de los sentidos, sino la sociedad en su forma más elemental y más ruda:

Allí do hierve en ciego remolino
La sociedad, y títulos ni honores
Son del respeto formulado sino,
Ni sirven al que entra sus mayores,
Tienen todos que abrirse su camino;
Breve mundo de más grandes dolores,
Do lucha el triste en su afligido centro
Contra la sociedad de fuera y dentro.

Siempre en eterna tempestad, impura
Mar donde el mundo su sobrante arroja,
Lucha náufrago el hombre a la ventura

Sin puerto amigo que en su mal le acoja:
Pechos que *endureció* la desventura
Y que el castigo de *piedad despoja,*
Cada cual de su propio pesar lleno,
Nadie se duele del dolor ajeno.
(vs. 3261-76)

La cárcel es la escuela en donde se hace el aprendizaje de la vida social en su forma más cruda e inferior, pero más natural. La nota diferencial no es la crueldad o la grosería, sino la falta de caridad, de amor. Esa sociedad —la sociedad— sólo tiene un medio con que imponerse: la fuerza, que en seguida estudiaremos.

El idioma dispone de las voces más expresivas, «punzantes»; y este grupo de hombres hace surgir inmediatamente un sistema de derechos y deberes. La figura de Adán, por su fuerza, pero también por su simpatía, se impone, apareciendo la estampa romántica:

Y ¿en qué parte del mundo, entre qué gente
No alcanza estimación, manda y domina
Un joven de alma enérgica y valiente,
Clara razón y fuerza diamantina?
(vs. 3277-80)

No es la fuerza física, la fuerza bruta o por lo menos no lo es principalmente. Se trata del individuo que se impone por la fuerza de su propia personalidad y valer. Es el sueño romántico que perdurará en una forma o en otra a través de todo el siglo XIX. Desligado de las trabas sociales, que pueden entorpecer pero también favorecer grandemente el movimiento del individuo, sin contar con el nombre ni la ayuda de la clase o grupo a que pertenece, el hombre romántico necesita imponerse por sí mismo:

Que aquella fiera gente en su rudeza
Admiran el valor y la grandeza.
(vs. 3291-92)

La cárcel, pues, es rudeza y crueldad, en ella no existen ni la caridad ni el amor, eso es lo que tiene de común con la sociedad; pero ese centro formado por los seres que viven al margen de la sociedad —«mar donde el mundo su sobrante arroja»— permite que el hombre se sienta afortunadamente solo, que sin raíces de ninguna clase ocupe el puesto que su personalidad crea. Y esto no es una censura de la sociedad, sino la necesidad que tiene el romántico de poder encontrarse a sí mismo, encontrar su personalidad que la historia oculta bajo espesas capas de tradición. Lo importante, en este caso, no es tanto que la sociedad sea mezquina o generosa como que la sociedad impida el desarrollo pleno de la individualidad. Conviene, por lo tanto, diferenciar bien esta figura romántica del individuo solo consigo mismo de la figura del «huérfano» del Realismo-idealista. Aquélla es un ser de origen desconocido, un ser misterioso con el secreto de su personalidad y el misterio de su rebelde soberbia; ésta es un hombre sumiso que se siente abandonado, desamparado. A la rebeldía romántica se opone la resignación realista.

Adán atraviesa el medio de la forma más baja y vil del hombre guardando intacta la pureza de su alma, completando la estampa romántica esa imagen de la época:

Bate gentil, cual mariposa ufana,
El corazón sus alas placentero,
Que abrillantan aún los polvos de oro
De inocencia y virtud breve tesoro.

La justificación individual del mundo de las pasiones y de los instintos:

> Y puro es si criminal se ostenta.

En este endecasílabo (v. 3308) tenemos la actitud moral con la que debemos acercarnos al héroe romántico, a ese ser que atiende sólo a su generoso instinto. Ha tenido que ser muy difícil adaptarse a esa libertad, no del hombre natural, sino del hombre civilizado, que en todo —arte, política, economía— sustituye la autoridad de las formas (lo único que nos enseña la historia) por ese canon individual. Al rechazarse la historia, se truecan de repente los valores, y la vejez como recipiente de la sabiduría, de la experiencia, del juicio prudente se ve suplantada por el impulso de la juventud. A la vejez se la menosprecia y desprecia, porque cuenta sólo con el pasado, con una experiencia que por personal es intransmisible; y el hombre, además, no busca un guía, lo que quiere es una fuerza que le abra el camino hacia el futuro. En lugar de respetar, superar:

> Y a aquellas almas viejas su alma ufana
> Con noble anhelo superar ansía.
> (vs. 3321-22)

La mujer elemental

En la cárcel, Adán se pone en contacto con la presencia de la mujer. Venus, que nace en el mar, se ha convertido en Salada. Salada puede mirar y mira el cuerpo desnudo de Adán, ve su belleza; pero embelesada y enamorada le aconseja que se vista. Esta mujer elemental, pura feminidad, puro instinto, vista e imaginada en el siglo XIX para mujer primera del hombre instintivo, es de ojos ardientes, de voz áspera; su color rosa y blanco, una cara alegre llena de salud, estrecha cintura, formas redondas, pie pequeño, andar leve y ligero, ademán gallardo,

Y blanca media que al tobillo pinta
De negro a trechos la revuelta cinta.
(vs. 3403-04)

Su pulida pierna sostiene ese airoso cuerpo envuelto en un traje flotante, cuyo movimiento hace que la atmósfera se llene de lujuria:

Y el hueco traje que flotante vaga (3)
En rica de lujuria y vaporosa
Atmósfera de amor que el alma halaga
Y excita los sentidos codiciosa,
Y que enseñar al movimiento amaga
Cuanto finge tal vez la mente ansiosa,
Que allá penetra en la belleza interna
Tras la pulida descubierta pierna.
(vs. 3405-12)

Los ojos del siglo XIX son incapaces de contemplar la belleza idealizada del Renacimiento o la belleza esencial del Barroco o la voluptuosidad formal del Rococó, parece como si se abrieran por vez primera a la forma individual del cuerpo humano; no pueden contemplar a Venus, no les interesa captar la Belleza; los ojos aguzados por el deseo —«la mente ansiosa»— están descubriendo y gozando el cuerpo físico. En lugar de Venus, Salada, «corazón toda ella», llena de vida, toda alma, juventud y gracia, sintiendo desprecio

---

(3) Cf. *Pelayo* Frag. 5.º est. VI, *Obras de Espronceda*. Ed. Jorge Campos, *BAE*. Tomo 72, p. 12b.

Hacia la sociedad, libre y erguida,
Hollándola con planta independiente.
(vs. 3463-64)

Salada no es Venus, es una mujer, «pobre mujer para sufrir criada» («¡Pobre Teresa!»); no es una mujer condenada por Dios, sino marcada por la sociedad. Ni Venus, ni pecado original, en su lugar únicamente la sociedad que la condena:

A perpetua batalla y rebeldía.
(v. 3472)

El amor físico

Ese cuerpo lleno de energía, de pasión, de lujuria, esa alma blanda y altiva despiertan en Adán un sentimiento

Que por sus nervios esparcidos siente.
(v. 3352)

Con ese amor físico primero, con ese sentimiento que no se puede definir, Espronceda crea una gran sinfonía (vs. 3333-3476). Es todo el efluvio erótico de la tierra, un ambiente codicioso, una ansiedad confusa hecha de ardor, ira, furor, de un batir doloroso de la sangre, es el revolverse del potro, el rugir del león, los bramidos del toro. La selva convertida en jardín zoológico. Por las octavas va pasando el sentimiento que despierta el cuerpo de la mujer, inspirando bravura al corazón, fuerza a los nervios; el cuerpo del hombre es una

...máquina impulsada y sacudida
Al ignorado goce a que convida

la mujer. Ese sentimiento, que la no satisfacción lo potencia a un grado máximo («torbellinos rojos», «fuego del volcán», «lanzando llamas sus avaros ojos,/encendida la lúbrica pupila»), después de alcanzar un ritmo de frenesí, va descendiendo a la calma, convertido en un movimiento de mirada triste y suspiros. Esta quietud tan densa e intranquila se anima un momento con la satisfacción espacial que siente la mujer por la pasión que crea su presencia, para terminar rápidamente con una nota rasgada de insolencia, osadía y gallardía con que la

> Hija del crimen, sola, abandonada
> A su propia experiencia...
>
> (vs. 3473-74)

desafía a la sociedad. Espronceda comunica el tumultuoso ímpetu físico que ha creado el deseo. Si la carne se ve cantada tan profunda y noblemente por vez primera en la historia del cristianismo se debe a que en la materia el hombre romántico quiere encontrar un punto firme de arranque para su vuelo audaz. La nobleza consiste en la mirada inocente con que los ojos se fijan en el cuerpo. No hay cinismo ni sabiduría, es una ignorancia adámica, un despertar, el descubrimiento de una nueva dimensión. Y en pleno siglo XIX el hombre ve por vez primera. Esa vibración cósmica que sacude el mundo es el origen de la vida.

El tema de los «consejos»

Salada iba a la cárcel para ver a su padre preso, el tío Lucas. Salada es la expresión elemental de una fuerza cósmica, y ella da lugar al arrebato lírico-descriptivo que acabamos de presentar. Con el tío Lucas, Espronceda se ha propuesto pintar un «tipo», contribuyendo así a esa literatura costumbrista y de tipos tan característica del Romanticismo, pero de tan larga tradición. El tío Lucas es el tipo de bandolero a lo siglo XIX; algunos de los endecasílabos con que se pinta esta figura los oiremos de una manera muy parecida en el *Tenorio* de Zorrilla:

> No hay cárcel ni presidio en las Españas
> Que no conserven de él alta memoria,
> Ciudad que no atestigüe de sus mañas,
> Ni camino sin muestras de su gloria;
> Y consignada está de sus hazañas
> En procesos sin fin, su ínclita historia.

La pintura está recargada de detalles caracterizadores, acumulados no con un afán de análisis individualizador, naturalista, sino pintoresco.

Esta figura obedece al gusto literario de la época, motivación literaria que se subraya con la función que desempeña. Aunque notamos muy bien el desprecio que se quiere mostrar hacia la sociedad y el deseo de reavivar un tema literario extraordinariamente vulgarizado, creo que las redondillas de los «consejos» sufren de ese decidido propósito. El tío Lucas en forma de «consejos» vierte su experiencia acerca del hombre, de la mujer y de la sociedad. Las redondillas se engarzan unas a otras por medio de ese hilo del cinismo de un tono desgarrado, y aparece en ellas la comparación favorita de Espronceda:

> A malos trances más bríos:
> Como la mar es en suma
> El mundo, pero en su espuma
> Se sustentan los navíos.

Esa visión baja, patibularia y triste de la vida se interrumpe con las reflexiones (octavas) que suscita en la mente confusa de Adán tanta negrura. El verso se llena de imponderable dolor:

> ¿Será del hombre el hombre el enemigo,
> Y, en medio de los hombres solitario,
> El su sola esperanza y solo amigo
> Verá en su hermano su mayor contrario?
> ¿Grillos, cadenas, hambre y desabrigo
> Siempre serán el lúgubre sudario
> Que vista al entregarle a su abandono
> El hombre al hombre en su implacable encono?
> (vs. 3629-36)
>
> . . . .
>
> ¿Por qué a vivir en ásperas cadenas
> Vino y cruel con bárbaro tormento
> El hombre, de dolor las manos llenas,
> En su inocencia lo arrojó violento,
> Castigando con grillos y prisiones
> El natural vigor de sus pasiones?
> (vs. 3647-52)

No veamos ningún tono filantrópico; es la tristeza desesperada del Romanticismo: que la seducción del mundo, la belleza y bondad de la mujer, la inteligencia del hombre en lugar de hacer la felicidad de la vida (siglo XVIII), sean causa de la desgracia y el dolor. Porque no sólo hay terremotos y volcanes, tempestades, inundaciones, enfermedades, guerras al parecer inevitables; es que el hombre se cree y se sabe con capacidad para evitar una gran parte del dolor humano. Ese dolor que podría y debería ser suprimido se suma al otro, y el saber que el hombre podría dominarlo lo hace más penoso y al mismo tiempo desesperante y despreciable.

Continúan los consejos, disponiendo el progreso de la narración, y volvemos a las octavas para encontrarnos a Adán en una situación que se ha creído comparable a la del Ingenuo en la cárcel acompañado del jansenista

Gordon. Recordar a Voltaire en este caso o en otras situaciones del poema me parece innecesario y perturbador, pues no creo que sea útil ni para señalar la diferencia entre dos épocas, ya que aun sin tener en cuenta a los personajes (en este caso particular, jansenista y bandido: Ingenuo —hombre natural— y Adán —hombre nuevo—) todas las situaciones son siempre diferentes, a la vez por el propósito, por la manera de concebirlas y por el modo de contarlas:

> Quedóse Adán mientras espera el día
> Rumiando las palabras del bandido;
> Pasar *el mundo* en confusión veía
> Con loca fiebre y delirante ruido.
> Luego, en grata embriaguez su fantasía
> Embargándole el sueño su sentido,
> La imagen en visión encantadora
> Le trajo amor de *la mujer* que adora.
> (vs. 3733-40)

Recordemos la octava del Canto a Teresa: «Yo desterrado en extranjera playa», y notemos que éstas son las dos melodías del Canto IV: el mundo con su esperanza y ruindad —la soledad del hombre y la desolación de un lado—; esta melodía va unida al sentimiento erótico y puro en su espontaneidad e inocencia que despierta la existencia y la presencia de la mujer.

En el sueño romántico, mientras pasa galopando la visión que ha creado la palabra del ladrón, la imagen de la mujer convierte la cárcel en un oasis y un jardín. La mujer es paz y reposo, regalo y esperanza, deleite y sentimiento; ella templa la fiebre loca del mundo, ella convierte el ruido delirante en sabrosa languidez. Adán encuentra en su propia juventud la salvación de tanta negrura, en su propia luz,

...la luz enciende
Y da forma y visión a su deseo.
(vs. 3759-60)

Recuérdese el Canto a Teresa: «es el amor que al mismo amor adora», mantiene en ese recuerdo la imagen de la fuente pura que renueva la fuerza y la belleza de la ilusión hasta que la pena envenena el manantial:

Que hay en el alma, cuando nueva agita
Sus áureas alas, una fuente pura,
Que alegre riega la ilusión marchita
Y renueva su fuerza y su hermosura:
Bebiendo de ella el corazón palpita
Hasta que al fin secándose la apura,
Y en vez de la ilusión se alza la pena
Que el manantial purísimo envenena.
(vs. 3765-72)

Compárese con el Canto II, versos 1692-99 y 1716-23. A la noche le sucede el día, y el adverbio —donde— se convierte en magnífico palenque para la lucha entre la ilusión soñada y la realidad: «Donde a su luz...», «Donde la tregua...», «Donde las horas...», «Donde tal vez...», «Donde...». Estos últimos puntos suspensivos son del poeta, marcan la transición, son el olvido gracias al cual la realidad puede ser vencida. Y Salada, «quién sabe cómo, acaso malamente», logra que el juez ponga en libertad a Adán.

La libertad por el amor

El verso se llena de nerviosidad para pintarnos el anhelo de Salada:

Párase ante la cárcel, precipita
Acá y allá agitada sus paseos,

Frenético su espíritu se agita,
Sueña su alma amantes devaneos;
Un siglo en su ansiedad loca, infinita,
Cuentan cada minuto sus deseos,
Allí esperando a que el escriba venga
Y oír gritar «Adán con lo que tenga».
(vs. 3829-36)

Y la energía acumulada de Adán que las rejas de su prisión centuplican:

Y como tigre que acechando hambriento
Tal vez descubre presa en la llanura,
Y en arco el cuerpo, arrójase violento,
Salta, y entre sus garras la asegura,
No con ansia menor al dulce acento
Que entrando hasta en sus tuétanos murmura,
El mozo corre adonde ve a su bella
Que al través de la reja se atropella.
(vs. 3845-52)

Nuevo, primero, estos dos anhelos trascendentes que agitan al hombre histórico, ahora se ofrecen en toda su profundidad humana. La disposición irónica de la escena logra hacer resaltar toda la capacidad aisladora del amor y el espesor nauseabundo de la vulgaridad de presa que rodea a la inocencia. Las palomas enamoradas de la tradición dan lugar a los nuevos milanos, encontrando Espronceda una imagen que fija rápida y certeramente la situación de los amantes en el mundo:

¡Oh del primer amor dulces escenas
Que presencia risueño un escribano,
Palomas inocentes de amor llenas
Que se huelgan delante del milano!
Romped, en fin, romped esas cadenas
Con que el destino os separó tirano,

Y otras os teja de aromosas flores
El buen Dios protector de los amores.
(vs. 3853-60)

¡Cuánta esperanza, cuánta bondad romántica en ese deseo augural del poeta! Se abren las puertas de la cárcel, y en seguida las octavas se elevan al frenesí para cantar la libertad y el amor. El hombre nuevo y la prostituta, hija de un criminal, forman la pareja, que llenará todo el siglo XIX, gracias a la cual se hace posible vivir de nuevo la pureza. En medio de la sociedad se encuentra la libertad y el sentido prístino del amor. Adán y Salada se han mirado sin prejuicios, nada se ha interpuesto entre ellos, y logran así situarse y situarnos en esa zona profundamente romántica de la libertad que es amor y del amor que es libertad. Al verse libres,

¡Cuánto júbilo al alma y alborozo,
Cuánto loco placer, cuánta alegría,
Sintió alterado el indomable mozo
Libre al mirarse y a la luz del día!
Las arterias palpítanle de gozo,
Baña la luz su audaz fisonomía,
Y de contento el corazón deshecho
Suena a sus golpes conmovido el pecho.

Y ella veloz con su ademán de maja,
Su planta firme y su gentil soltura,
La calle al lado de su amante baja
Llamando la atención su donosura;
Y ambos en medio a la común baraja
De gentes que atraviesan con presura,
Y que a su garbo y gentileza atienden,
Ojos a un tiempo y corazón suspenden.

Y él al mirarse al lado de su bella
Y al tocarla tal vez, su tacto es fuego:

Fuego que lanza vívida centella
Que el alma y corazón penetra luego;
Páranle a un tiempo su ignorancia y ella
Que contiene su ardor con blando ruego,
Y acaso su ardimiento también doma
Cuando recuerda la pasada broma.
(vs. 3869-92)

Es una carrera loca, enérgica, triunfal. La pasión ha sido cantada por la antigüedad y después por el cristianismo en todas sus épocas; las estrofas que acabamos de copiar nos ofrecen por primera vez en España la expresión del amor que el Romanticismo introduce. Junto al elemento fisiológico —arterias, corazón, no el corazón simbólico medieval, sino el órgano del cuerpo humano—, la captación naturalista del movimiento a la vez físico y sentimental: «al tocarla tal vez», ella «con blando ruego». La frase se adapta con precisión a toda la ondulación de las sensaciones, marcando su pudor y su ardimiento, logrando dar esa pureza de la sinceridad, de la sensación verdadera (a medida que avance el siglo se descubrirán las sensaciones artificiales), sentir de verdad que es la razón, la justificación y la salvación de ese naturalismo. Pero ese materialismo no se mantiene dentro de los límites fisiológicos, los desborda para hacernos penetrar en la zona de la libertad metafísica, la cual en la Edad Media nos hunde en el abismo profundo que abre la carne, y crea la dimensión del pecado, mientras que, en el siglo XIX es una liberación de lo social. De aquí que ya tenga lugar la escena amorosa en la ciudad o en el campo, siempre nos produzca esta impresión de libertad ciudadana. La carrera de Adán, su victoria, está refrenada precisamente por el recuerdo de la capacidad que tiene el hombre para el mal:

Y cual furioso loco va impaciente
Junto al loquero que temor le inspira,
Así, la rienda puesta a sus arrojos,
Gira enredor sus recelosos ojos.
(vs. 3897-3900)

Se ejerce continuamente una presión social; no se está bajo la mirada de Dios, sino la de los hombres. De aquí la índole, la calidad, la sensación de esa libertad que no la puede sentir nada más que un hombre de la ciudad, un hombre civilizado.

La carrera de la pareja amorosa va a dar a la casa de Salada:

Un pobre cuarto bajo en una casa
Pobre, la moza en Avapiés habita,
De baja planta y de fachada escasa.
Limpia por dentro y de esmerada cuita:
La llave con incierta mano pasa,
Y el mancebo feliz se precipita
Tras ella en la mansión que amor ahora
Con tintas mil de su ilusión colora.
(vs. 3901-3908)

Y luego la embriaguez del amor, el éxtasis ante el cuerpo de la mujer:

¡Oh! a su inocencia, a su infantil pureza,
La fuerza juvenil junta el mancebo,
Nueva a sus ojos es tanta belleza,
Nuevas sus ansias y su goce nuevo.
(vs. 3981-84)

La voluptuosidad del Barroco es una sensualidad de perdición, que en el Rococó se trueca en un elegante goce de los sentidos, para transformarse en el Romanticismo en una furia redoblada, gracias a la cual se consigue conquistar la felicidad. El acto amoroso es una lucha desesperada por encontrarse a sí mismo en la entrega total. Y después es el momento de delicia, de dicha, de ilusión, de arrebato, en que vibran al unísono los dos amantes:

¡Oh! ¡Cómo tanto amor, delirio tanto
Se retrata en su célico semblante!
(vs. 4007-4008)

Espronceda encuentra para pintar el estado amoroso de Salada las mismas palabras con que cantó a Teresa:

¿Quién pensara jamás, Teresa mía,
Que fuera eterno manantial de llanto,
Tanto inocente amor, tanta alegría,
Tantas delicias y delirio tanto?
(vs. 1660-63)

Al crear la libertad de Salada y Adán unida a su amor, el poeta vive su propia desventura. Para la pérdida de la ilusión y de la esperanza no hay consuelo. El Canto terminaría con la misma nota de amarga ironía de los Cantos precedentes

—Engólfate en los libros a porfía,
Que aunque ellos nunca calmarán tu pena,
Al menos te dirán qué es luna llena—,
(vs. 4058-60)

sino fuera porque el poeta se complace en exhortar a los amantes a que gocen su presente felicidad («Coged de amor las rosas»), ofrendándoles románticamente el risueño consejo clásico, acogiéndose a su dicha para templar su propio corazón:

Y sed vosotros isla de verdura
Donde repose yo.

Soledad del hombre en la desolación social acompañada del sentimiento erótico de la presencia del cuerpo de la mujer. Estas dos melodías del Canto IV se resuelven en el goce de la libertad y del amor, que el poeta romántico puede sentir de una manera adámica por vez primera.

La Vida del Hombre:

Drama y Lirismo

CANTO V

El amor ha transformado el pobre cuarto de Salada en una mansión de felicidad; su casa impura, purificada románticamente por la pasión, se ha convertido en «templo santo». El ritmo de frenesí ha ido cediendo y los amantes se ven envueltos en una calma de deleite, una suavidad de brisa.

Adán y Salada rodeados de seguidillas

En contraste con este rapto lírico, el Canto V (4077-4983) empieza con una escena dramática (vs. 4077-4287). Un grupo de manolos y manolas bailan al son de una guitarra rasgueada por un sacerdote. La escena en una taberna del Avapiés. Adán y Salada están sentados en un rincón. Seis octavas (vs. 4288-4335) separan este cuadro del siguiente en dos escenas, la primera (vs. 4336-4687) solos Salada y Adán en la habitación de aquélla, en romance *a-e*, una estrofa de cuatro endecasílabos y dos heptasílabos (vs. 4498-4503) y serventesios, alternando según un orden sentimental las estrofas en verso llano con las de verso agudo; la segunda escena (vs. 4688-4983), sin cambio de lugar, los mismos personajes más el cura y seis hombres, romance en *í-a*.

Las dos melodías —el mundo y la mujer—, que formaban el Canto anterior y que ya estaban en el Canto a Teresa, ahora adquieren un ímpetu dramático —acción y diálogo—. En el protagonista no hay un conflicto, pero si a la rudeza inferior de la cárcel social se sobreponía la visión del amor en el cuerpo de Salada, ahora Adán siente una íntima desazón inexplicable causada por su deseo del mundo, el cual se sobrepone a la pasión que ha despertado la mujer. Salada llegará a decirle:

> ¡Oh! ¡no me dejes!, y pues ansías oro
> Y dichas que no alcanzo a darte yo,
> El *mundo* te prodigue su tesoro,
> Y *yo,* tu esclava, te daré mi amor.
> (vs. 4648-4651)

Espronceda tampoco ha vivido un conflicto; como la de todos los románticos quizá, la vida de Espronceda tiene la forma lírica del sentimiento arreligioso de la culpa. La índole de su tormento reside en que románticamente no acepta la culpa, por eso su sentimiento es más insoportable. Del corazón del hombre emana ese impulso que le lleva hacia lo eterno e infinito y aunque sea cruel tiene que abandonar todo lo relativo y temporal, representado por la mujer sin fuerza para retenerle más allá del momento; siendo la causa de la desgracia y desesperación del hombre aquello precisamente que constituye su grandeza. Es su capacidad de sentir lo eterno lo que le hace ser infiel a lo temporal y rebelarse contra todo —grande o pequeño, conocido o ignorado— lo que se oponga a sus ansias de absoluto. Y se rebela contra lo absoluto, porque en él hay una fuerza que le exige ser absoluto también, y le parece humillante e indigno recibir como un don lo que él quiere ganar por sus propios méritos y con su propio esfuerzo.

No se debe creer que suponga que su amor a Teresa le dio ese sentimiento de la vida, sino al contrario: teniendo ese sentimiento romántico de la vida, sus relaciones con Teresa no podían ser otras de las que fueron. No debemos partir de Teresa para llegar al sentimiento de la vida de Espronceda, sino que partiendo del sentimiento que de la vida tiene el poeta, debemos llegar a ver la forma que debía adquirir su amor. En otro momento histórico esa misma experiencia se hubiera vivido de otra manera; el amor de Teresa hubiera podido fundirse en un molde moral o cínico, o sentimental o trágico o religioso, vivido en la hora romántica debía llenarse de esas luces de desesperación e irónico anonadamiento.

La figura del sacerdote en el siglo XIX

La crítica eclesiástica de la Edad Media y del Renacimiento acaba en los países católicos con la Contrarreforma, la época del Barroco; pero en el Rococó y el Neoclasicismo la sátira y la crítica reaparecen y el Romanticismo crea ya esa figura del sacerdote o del religioso enraizada económica, social y moralmente en el siglo XIX, que ha de servir de modelo a las épocas sucesivas, las cuales se esfuerzan sobre todo en representarla favorable o desfavorablemente, según el punto de vista del autor o de la obra. En España el anticlericalismo ha luchado siempre con la exigencia espiritual de ser tolerante, tanto más cuanto que era la intolerancia y la intransigencia uno de los blancos principales de su ataque, de aquí las atenuantes constantes por el estilo de la de Espronceda, que escribe en nota:

«Si modelo y dechado de todas las virtudes son el mayor número de nuestros sacerdotes, en todos tiempos, y especialmente en los malaventurados que corren, ha habido y se encuentran algunos miserables, hez y escoria de tan respetable clase. El lector se acordará tan bien como nosotros de haber hallado en su vida alguno que, haciendo gala de su desvergüenza, se parecía quizá al mezquino ente que aquí tratamos de describir». No es que Espronceda pensara que así la figura de ese sacerdote podía ser aceptada más fácilmente por cierto sector de la opinión, sino que temía ser injusto con la clase eclesiástica. Para el creador —dramaturgo, poeta o novelista— quizá sea ésta una actitud justificable, que, sin embargo, creo que ha ejercido una mala influencia en el pensamiento y la acción políticos.

La Edad Media ataca a figuras genéricas y aun a grupos, no obstante la Iglesia se salva y se salvan las órdenes religiosas; lo mismo acontece en el Renacimiento, por lo menos en las zonas no protestantes, pero en el Romanticismo, a pesar de todas las salvedades y distingos, el ataque no va dirigido ni a un tipo ni a un individuo, sino a la Iglesia, y esas reservas, sin lograr salvar ni la clase ni a los que la constituyen, contribuyen a la confusión. Es cierto que la claridad con que hoy se ve el complejo clase-individuo no existía en el siglo XIX, y ésa es la razón por la cual todavía sufre sinceramente el liberalismo cuando ve que los valores individuales desaparecen bajo los de clase.

Mientras bailan las manolas en ese lugar inadecuado para un sacerdote, un cura canta unas seguidillas. El medio, las circunstancias, todo hace que el cura se rebaje innoblemente, pero es precisamente su presencia la que aleja de la taberna la gracia o la alegría que pudiera tener. Pues no es tanto la taberna la que descalifica al sacerdote como el sacerdote el que con su presencia y gestos inmundos convierte la taberna en un lugar desagradable y repelente.

Espronceda le describe así: «Un hombre con traje mitad seglar, mitad eclesiástico, flaco, ruin de estatura, chato, lampiño y el pellejo arrugado, pelo pobre y rojizo, chisgaravís repugnante, toca la guitarra». El verso parece entregarnos el tono sin fibra moral de su voz, y las acotaciones no le permiten desviarse ni un momento de su papel: «Con ademán salado que le sienta muy mal». «Mientras rasga la guitarra, desaparece la fisonomía del cura escuerzo entre millares de innobles gestos». Creo que Espronceda, de no estar yo equivocado, no ofrece ningún dato por el cual podamos tildarle de persona desaseada o sucia. La impresión de suciedad que pueda producir no proviene de ninguna característica dada por el poeta, sino por la caracterización moral. Este cura es sucio moralmente. El calificativo del Sr. Moreno Villa —«simplemente marrano»— me parece inexacto si se refiere a la indumentaria o a la limpieza. Lo hago notar, porque pensando en Galdós, en «Clarín», en «Azorín» o en Miró, por ejemplo, creo que no se obtiene la pintura del cura como persona característicamente sucia, y acaso el calificativo del Sr. Moreno Villa se deba a que ha dejado que una imagen de otro medio se superponga a la figura literaria.

El cura de *El diablo mundo* no tiene ninguna grandeza en sus vicios, de su alma fluye una repugnancia que contamina cuanto le rodea. Y de la misma manera que el moverse y jaleo de las manolas contrasta con la quietud soñadora de Adán y Salada, la hediondez moral del cura se opone a la inquietud espiritual de Adán. Baile, música y canto, todo debe ser bajo y vil. Recuérdese por un momento que el Romanticismo se ha sentido atraído por esas antítesis que podía crear con un salón de baile o una fiesta popular —lujo y miseria, alegría y tristeza, frívola inconsciencia y moral preocupación, etc.—; Espronceda está haciendo lo mismo con dos aspectos del mundo, uno que vilifica y hunde, otro que hace germinar nostálgicamente la ambición. A pesar de ser todo torpe e infame, las seguidillas no dejan de tener gracia. El baile ha empezado, acaba de sonar la primera copla, cuando Salada le pregunta a Adán si está triste y éste, distraído, le responde:

...No sé, siento
Una ansiedad, un tormento.

Dos deseos

Salada dice los versos de su amor con gran pasión, pero Adán contesta con frialdad. Entra entonces un antiguo amante de Salada, acompañado de otros majos y dispuesto a buscar camorra a la pareja amorosa. El ambiente incorpora a la nota desagradable del vicio, y repugnante, el deseo de venganza y reyerta. Adán y Salada, que ya habían hecho oír su malestar y el tono de su dolor, se dejan por fin arrastrar de todo el anhelo lírico que inunda sus almas. Dice Adán a Salada:

¡Me ahogo! siento un deseo,
Salada, no sé de qué:
Un afán...
(vs. 4146-48)

Salada sólo puede contestar que se da cuenta de que él no la quiere. En realidad lo que ella quiere decir es que él no la quiere de la misma manera que ella, que para ella él es su mundo y que a él ella no le basta. Adán habla poniendo una comparación que expresa su anhelo: «Vistes»; se compara al pez que en su vaso de cristal tiene Salada cerca de la ventana:

Vistes aquel pez dorado
Que en tu casa en un fanal,
Breve lago de cristal,
Da vueltas aprisionado,
Y en la ventana al sol mira
Tejiendo en torno colores,
Y en las macetas las flores
Donde la brisa suspira.
(vs. 4150-57)

Con el tema de la ventana, que se volverá a recordar (vs. 4404-19), comunica su unión con el mundo: sol, color, flores, brisa,

Pues así yo, dueño mío,
La tierra, la luz, el cielo,
Disfrutar con loco anhelo,
Y sin saber cómo, ansío.
(vs. 4166-69)

La pareja amorosa habla, pero no es un diálogo, son dos ansias que se entrecortan, cada cual pendiente sólo de su propio corazón. Ella quiere ser la que satisfaga todos sus deseos, la que calme todos sus ímpetus:

Mira, si tú, vida mía,
Me amaras como yo a ti,
Todo eso hallaras en mí
Y tu ansiedad calmaría,
(vs. 4170-74)

pues ella no anhela más que contemplarse en él:

Busco mi luz en tus ojos,
Hallo en tu frente mi cielo:
Y estando a tu lado, Adán,
Ni ese sol ni cielo veo:
Que eres todo mi deseo
Y eres tú todo mi afán.
(vs. 4176-81)

Adán sigue, escuchándose únicamente a sí mismo: «Ves tú». Es un espléndido amanecer que sirve de fondo al deslumbrante lujo creado por los hombres, expresión de la grandeza, de la capacidad del hombre, del poder fascinante de la sociedad:

¿Ves tú cuando tornasola
Los cielos la luz del día,
Y huye la noche sombría,
Y en tintas mil arrebola
La aurora el blanco celaje,
Y cantan a la alborada
Las aves en la enramada,
Luciendo el vario plumaje?
Más placer, más luz, más vida,
Más amor vierte a torrentes
Ese estrépito de gentes
Que en multitud confundida
Ayer vi cuando a tu lado,
Con tanto afán, tanto gozo,
Tanta gala y alborozo,
Bajaban tantos al Prado.
(vs. 4194-4209)

La musicalidad de este verso se ha impuesto en la poesía española posterior, así como la composición de este paisaje. Si los que han seguido a Espronceda no han hecho muchas veces nada más que satisfacer el placer de repetir la misma melodía, en cambio el autor de *El diablo mundo* la ha creado para expresar con ella la raíz más profunda de la atracción que ejerce el dinamismo y la potencia de la sociedad. No es un desfile festivo como en los siglos XVI y XVII, ni es una expresión del refinamiento de la civilización como en el siglo XVIII, en un caso y en otro, siempre un espectáculo, que puede ser contemplado incluso con admiración religiosa. En el Romanticismo aun no produce rencor o envidia, sirve de estímulo e incitación:

> ¿Quién habrá que no suspire
> Por su grandeza igualar?

Los hombres y el mundo en competencia están de acuerdo para cegar los ojos y deleitar los oídos con armonías y luces. Salada continúa una vez más, pero Adán estalla:

> O estoy loco, vive Dios,
> O no me entiendes, Salada.
> (vs. 4226-27)

Ese momento en que el amor estrechamente unido, alimentándose de sí mismo, crece, se desborda y bifurca, una corriente para reconcentrarse y estancarse en el corazón, otra para dilatarse y precipitarse incontenible, es el momento en que el antiguo amante de Salada —envidia, humillación, celos, amor, deseo—, al verse tan por completo olvidado e ignorado por una Salada que implora apasionada y tierna, se dirige a ese cuerpo de mujer en un último espasmo amoroso para darle una puñalada llena de deseo desgarrador; pero Salada —decisión, acierto, energía— se ladea y envía una directa al corazón, por «la tetilla derecha le entró». El padre cura ya lo había previsto:

> Nunca mató a los hombres
> La pena negra.

Desventuras y males
Y penas vengan:
¡Ay!, las mujeres
A los hombres mejores
Les dan la muerte.
(vs. 4246-52)

Ese lirismo dramático de dos ardientes deseos tiene como desenlace el relampagueo momentáneo y eficaz de las navajas, acompañado del revuelo que pone fin a la acción.

El «Canto breve a Teresa»

Redondillas y seguidillas, baile, guitarra, mujeres, vino, deseo, el amor y la ambición, navajas y celos. Ha sido un torrente lleno de luces y sombras, que se aquieta al desembocar en las seis octavas que son como un Canto breve a Teresa. El amor es el espíritu, es la vida de la mujer, y lo es exclusivamente; en el hombre el amor no puede ser otra cosa que la forma momentánea del primer deseo. La esperanza ofrece a la ambición del hombre, que va siempre en aumento delirante, la inmensidad y el infinito. La juventud va tras su estrella como el águila tras el sol:

¿Quién parará su rápida carrera?
¿Quién pondrá coto a su afanar ardiente?
Corre campo a buscar como la fiera
Que se lanza en el circo de repente:
Arrebata tal vez en su primera
Locura al que se opuso, indiferente
Lo abandona después. ¡Ay! ¡desdichada
La mujer que se oponga a su pasada!

La mujer es como la flor, el hombre como el viento: la arrebata enamorada, la besa y acaricia con ardor nuevo y con locura nueva; en ella ceba su furor amoroso, y la arroja cuando ya marchitada y sin perfume, su presencia, su posesión le cansa y enfada. El hombre, el viento continúa su marcha:

> Cayendo y despeñado, y tropezando,
> A merced de su propia fantasía,
> Tras la engañosa estrella que le guía.

Espronceda centra su mundo en esa necesidad de justificación. La vida es cruel; el mundo, doloroso. La única justificación para la crueldad, para el dolor, para el sentimiento de la culpa es reconocer que existen. La vida es así y no puede ser de otra manera, el mundo es así y no puede ser de otro modo, la mujer y el hombre son así y no pueden cambiar. Ilusión primera, goce presente, desengaño, desilusión, recuerdos y para pasar del primer momento al último la ironía desgarradora y cínica al comparar lo que se quiso hacer con lo que se hizo, lo que se soñó con la realidad.

Dormir y soñar

Pasamos de la taberna al cuarto de Salada a través de las octavas. El lugar cambia, pero el tema sigue siendo el mismo. El cuadro empieza recriminando bondadosamente Adán a Salada el haber manejado el cuchillo; Salada le asegura que si eso le molesta no volverá a hacerlo; Adán se complace en la belleza de Salada, Salada en la presencia de Adán. Son apenas unos treinta versos. El cuadro ha empezado diciendo Salada:

> ...¿No das
> Un beso a tu pobre amante?

Un beso, otro beso, y otro, y otro. Ese pedir amor es el tema ininterrumpido de Salada que se expresa por medio del beso, mientras Adán sólo se escucha a sí mismo. El alejamiento, la soledad de Adán van irritando a Salada, quien, después de volver a la comparación del pez, siente nacer en ella los peores celos, los causados por la insatisfacción del hombre, por esa mujer que el hombre sueña y que en cualquier momento la necesidad de realizar su deseo puede convertir en realidad. Adán inquieto por su afán, Salada inquieta por sus celos. Salada puede ahuyentar sus pensamientos, ahogándolos en besos y cerrando los ojos de Adán. Dormido es suyo, también lo sería muerto. Esa posesión absoluta llena de ternura a Salada. Rodeada de silencio, de temblorosa quietud, solicita su voz conmovida:

Dejadme en mi alegría
Cuidar yo sola de la flor que es mía.

Pero Adán despierta. El cuerpo estaba en el regazo de Salada, la fantasía más libre que nunca gracias al sueño. Nueva y dulce recriminación de Salada. Transportado, Adán cuenta su sueño, y el ritmo narrativo se llena inmediatamente de un exaltado frenesí. El sueño no es otra cosa que una carrera desenfrenada. Salada deja escapar un lamento:

¡Y ni un recuerdo para mí entretanto,
Ni un recuerdo guardabas, Adán mío,
A esa pobre mujer que te ama tanto!

tan sólo para que la interrupción deje respirar a Adán y pueda lanzarse al goce embriagador de una velocidad imposible:

¡Oh! ¡qué placer! En medio al torbellino
Oír el trueno y rebramar el viento,
Siguiendo en polvoroso remolino
El ímpetu veloz del pensamiento.

. . . .

¡Un caballo! ¡un caballo! ¡campo abierto!
Y déjame frenético correr.

Adán no se contenta con menos que con dominar el mundo. Salada se da cuenta de que le ha perdido, y en seguida recoge el tema del Canto a Teresa: pobre mujer; baja, despreciable, perdida, que alegre antes con su belleza, ahora siente en ella gracias a Adán un alma. La súplica se hace apasionadamente tierna:

No tengo nada; ¡pero te amo tanto!
¡Tengo un tesoro para ti de amor!
¡Oh! no me dejes, muévate mi llanto,
Muévate mi afligido corazón.

¡Oh! ¡no me dejes! y pues ansías oro
Y dichas que no alcanzo a darte yo,
El mundo te prodigue su tesoro,
Y yo, tu esclava, te daré mi amor.

. . . .

¡Ay! ¡no me dejes nunca!

Salada habla, Salada dice lo que Espronceda quiere oír de Teresa; Adán contesta sinceramente lo que Espronceda decía sinceramente: «¿Yo dejarte?». Está dispuesto a romper las amarras del destino de Salada:

...Yo siento dentro en mí
Fuerza bastante en mi ambicioso anhelo
Para cambiar, ¡quién sabe!, el porvenir.

Salada en lugar de temblar se deja «arrebatar del entusiasmo de Adán», y puede terminar con el delirio de sus cuatro estrofas, cantando el amor y la huida hacia la libertad redentora, entonando la *Marsellesa* de la felicidad:

¡Juntos! ¡juntos los dos! ¡Oh! sí, marchemos,
Rompamos del destino las cadenas.
. . . .
Huyamos, sí, de la laguna impura
Donde entre cieno sin tu amor viví,
. . . .
¡Gracias! ¡gracias! amor, bendito seas,
Que mi bajeza me revelas tú:
¡Huyamos luego, Adán, donde deseas,
A otro país que alumbrará otra luz!

Esa embriaguez de súplica —tema de «no me dejes»— y exclamativa —«juntos», «gracias»—; esa embriaguez de esperanza nos ha conducido a un elevado plano lírico, del cual descendemos para caer en la móvil ligereza de rasgo de la realidad. En la escena segunda, acude el cura con sus hombres para proponer el saqueo del palacio de la condesa de Alcira. La acción sirve para fijar concretamente la separación inevitable. Adán todavía tiene un bello arranque romántico:

...La primera
Vez que he pensado en mi vida,
Pensé alcanzar con la mano
Donde alcanzaba la vista.
(vs. 4760-63)

Y después de confesar que nada sabe del mal o del bien, nos presenta desnuda el alma romántica:

...Yo he de seguir
La inspiración que me anima.
(vs. 4918-19)

Salada insiste ofreciendo su deseo palpitante («los dos aquí solos/entre amores y caricias/corriendo las horas»); Adán accede un momento, sólo para rechazarla ásperamente: «Mujer, quita».

A pesar del trágico encuentro entre Salada y su antiguo amante; a pesar de la huida de Adán, abandonando a la mujer que le libró de la cárcel, es el diálogo lo que ha impuesto una forma dramática a este Canto. Dentro del Romanticismo español —conviene señalarlo—, es la única acción que no ha sido necesario expresar en términos históricos. Aunque el diálogo esté tan lleno de movimiento y la atmósfera sea tan intensamente dramática desde el comienzo hasta el final, el acento es completamente lírico como ocurre en general con la tragedia romántica, que siempre nos presenta el debatirse de un alma con ella misma, haciendo que toda la peripecia dramática sea sólo la exteriorización del conflicto íntimo.

La relación entre el hombre y la mujer que nos ofrece Espronceda es la del Romanticismo. Recuérdese, por ejemplo, a Madame de Staël en *Corinne* (1807): «Que les hommes sont heureux d'aller à la guerre, d'exposer leur vie, de se livrer à l'enthousiasme de l'honneur et du danger! Mais il n'y a rien au dehors qui soulage les femmes». Texto que citan los comentadores de Byron, al llegar a la estrofa 194 del Canto I del *Don Juan* (1818):

> Man's love is of man's life a thing apart,
> 'Tis woman's whole existence.

Pero Espronceda, ya sea por su sentimiento personal, ya por lo tardío del Romanticismo en España, cambia sensiblemente esta relación. Primero, no es una queja femenina; segundo, no es tanto una diferencia entre la psicología social masculina y femenina como un impulso dominante que es característico del hombre y que éste piensa sinceramente poner al servicio del amor; por último, y es la nota principal, el sentimiento de la culpa: Espronceda no puede vencer ni sacrificar ese anhelo que le exige lanzarse a una carrera desenfrenada y hacer de su yo el instrumento de salvación de la humanidad. Pero si la llamada de su obra y de su acción pueden justificar el dolor y la tragedia de la mujer, eso no impide que el hombre se sienta la causa de su desgracia. No es tanto su conciencia, sino su espíritu el que no puede recobrar la tranquilidad perdida. El saberse el causante involuntario e incluso bien intencionado de la desdicha, no hace nada más que aumentar su amargura. Es una nueva tragedia: la catástrofe no logra sublimar el dolor.

La Vida del Hombre:

EL LUJO Y LA BELLEZA
EL PLACER Y LA MUERTE

CANTO VI

El palacio: lujo

El diablo mundo termina con el Canto VI, abriéndose en todo su esplendor la antítesis romántica. Adán vive sucesivamente dos encuentros: el de una belleza en su apogeo en la concha de la civilización (vs. 4894-5403, serventesios), y el de la muerte juvenil rodeada de podredumbre moral (vs. 5404-5806, silva). El poema termina con estos dos asombros, con estas dos sorpresas: belleza civilizada y la muerte.

El poema se hunde en la noche de que salió; no en una noche trascendental y primigenia, la noche de los tiempos, sino en la hora de la una de una noche de danza y de verbena, de una noche de luna.

Las calles alegres de gente, de música, de vocerío. La luz de la luna bañaba las casas y destacaba la soberbia fachada de un palacio. Con un rayo de luna, penetramos por el balcón, entreabierto por el calor, en el palacio, presentándose a nuestros ojos el deslumbrante espectáculo que ofrece la industria del lujo:

> ¡Templo soberbio, alcázar grandioso
> Que con oro amasó la vanidad!
> (vs. 5014-15)

Llegamos hasta el mismo cuarto de la condesa de Alcira:

> Una mujer dormida sobre un lecho
> Riquísimo allí está, los brazos fuera;
> Palpítale desnudo el blanco pecho,
> Vaga suelta su negra cabellera;
> (vs. 5020-23)

Sigue la descripción del cuarto que la tibia luz de una lámpara alumbra. Es un pintoresco desorden de elegancia, riqueza y prestigio social, que muestra el abandono, el tedio, el cansancio de la dama que duerme:

> Bandas, sortijas, trajes, guantes, flores,
> No os quejéis si os arroja con desdén:
> ¡El placer, la esperanza y los amores
> Ella arrojó del corazón también!
> (vs. 5040-43)

No es que todo pase, la juventud, la hermosura, el poder, la riqueza; es esa situación tan siglo XIX del tedio, de la insatisfacción espiritual en medio de un bienestar material que todo lo anega:

> Todo le cansa, en su delirio inventa
> Cuanto el capricho forja a su placer;
> Y ya cumplido, su fastidio aumenta
> Y arroja hoy lo que anhelaba ayer.
> (vs. 5072-75)

Del Romanticismo al Impresionismo la situación es la misma, haciéndose resaltar con la antítesis la miseria espiritual y la riqueza material. Esa sociedad de industriales, banqueros, comerciantes y hombres de ciencia; esa sociedad que ha conseguido un poder inigualado en ninguna otra época histórica, que ha conseguido someter la naturaleza, le hace exclamar al poeta:

¡Oh! que no hay artífice en el mundo
Que sepa fabricar un corazón,
Ni sabio hay, ni químico profundo
Que encuentre medicina a su dolor.
(vs. 5076-79)

Todas las épocas históricas, en medio de la servidumbre impuesta por la naturaleza física y la naturaleza humana, han podido inventar una ilusión, una fe, una esperanza; al siglo XIX le estaba reservado el dolor del vacío del corazón; porque en todas sus épocas —realidad de la pasión del Romanticismo, realidad idealista del Realismo, realidad positivista del Naturalismo, realidad de la conciencia del Espiritualismo, realidad de la sensación del Impresionismo— se ha rebelado contra la metafísica, entregándose al rigor científico del mundo objetivo. Ha sido su grande y penosa hazaña.

Hay que volver a observar que Espronceda no necesita transponer en términos históricos su sentimiento del mundo. Espronceda no se ve como Macías, quizá porque la historia en lugar de ayudarle a levantar, a construir su mundo, es uno de los pesos de su vida. La huida de Espronceda, su sueño, no es hacia un pasado nostálgico, sino hacia el futuro. El romanticismo de Espronceda no es de índole evocadora, sino un romanticismo que exige la acción. Al preguntarse el poeta:

Tan hermosa y con tanto sentimiento
¡Ay! ¿por qué al corazón lástima inspira?
(vs. 5102-03)

la narración comienza de nuevo. Los ladrones han entrado en el palacio, con ellos va Adán. Es la escena de robo nocturno: vigilancia, precaución, temor, diligencia, sobresalto. Breves minutos que Adán vive lleno de alegría y placer. Primero, descubre el arte —Murillo, Rafael, Van Dyck—; luego, con el tema del espejo, tan antiguo, pero tan característico del siglo XIX, se descubre a sí mismo.

De la cárcel ha pasado a los brazos de Salada, ha visto, después, el espectáculo del mundo, ahora se encuentra en medio de todo, en medio de esa riqueza desdeñada por la Condesa dormida y que a él le embelesa, haciéndole caer en el olvido:

> Así la dulce libertad sentida,
> Adán huyó de su infeliz manola;
> Y allí en su gozo embebecido olvida
> La que le llora enamorada y sola:
> (vs. 5232-35)

Adán olvida, pero Espronceda recuerda, y precisamente en el momento en que el tiempo se va a convertir en música:

> Y así mirando y revolviendo todo
> Párase ante un magnífico reló
> Y de gozarlo imaginando modo
> Toca, y la oculta música sonó.
> (vs. 5236-39)

El palacio: belleza

Esta noche de luna, resplandeciente de brillantes y perlas, de reflejos de sedas y damascos, de luces de espejo y color del pincel ha sido sostenida por el reló. Un reló de la ciudad que da la una, señalando el comienzo de la acción; otro reló que deja escapar sus campanadas y produce la peripecia, por fin el reló de música que conduce al desenlace. Exceptuando el primero, los otros dos se relacionan con Adán. Al verse sorprendidos por esa música del tiempo que llena el palacio y que Adán con su alegría y curiosidad ha hecho sonar, despertando a la Condesa, los ladrones quieren sujetar a Adán. La lucha entre ellos comienza, mientras gritando

> «—¡Favor, favor!», con afanoso acento
> Una mujer *en su desorden bella,*
> Súbito en el salón, falta de aliento,
> Y que en sus propios pasos se atropella,
> Preséntase...
>
> (vs. 5260-64)

La fantasía de Espronceda ha creado una deliciosa secuencia dramática. Un movimiento sordo y receloso de robo que sirve de acompañamiento y contraste a la melodía juguetona de la alegría y curiosidad de Adán, en la cual entre un chisporroteo de luces de muy diferente calidad —joyas, telas, espejos, cuadros, porcelanas, cristales, luna— se ve flotar el olvido y descubrirse a sí mismo. Ese bullicio que suena con gran claridad pero pianísimo se resuelve en el tiempo hecho música, que es el que despierta a la Condesa. La música del reló con su timbre peculiar introduce a la dama en escena, la cual, en dramático contraste, está ocupada por los ladrones en silenciosa lucha.

La condesa de Alcira, bella en su desorden, suspirando, temerosa, sus ojos llenos de lágrimas, inspira piedad al corazón de Adán. Quizá por primera vez ha inspirado ese sentimiento, quizá por primera vez su hermoso rostro ha aparecido

> ...como el cielo
> Cuando, si llueve en la estación florida,
> Colora el sol el transparente velo.
>
> (vs. 5281-83)

Adán, que ha sentido la crueldad de los hombres, que como el potro, el león, el toro, el tigre, ha sido seducido por la presencia de la mujer; Adán, que ha sentido la magnificencia social, que ha visto deslumbrado el lujo y la elegancia, y que ha contemplado con fascinación el prodigio del arte; Adán, que se ha visto a sí mismo digno de emular con los mejores, ahora, por vez primera, siente la ternura y la piedad. El dolor hecho belleza ha conmovido su corazón. En la taberna, era la mujer la que se aprestó a la lucha, no dejándole a Adán tiempo para intervenir. En el palacio, inmediatamente se dispone a defender a la hermosura dolorida. Espronceda crea un bello grupo: el héroe romántico movido por la piedad, la belleza temblorosa buscando su protección, los forajidos lanzados al ataque. Muchos contra uno, que sirve de escudo a una dama gentil:

¡Oh! ¡Cuán hermoso en su gallardo empeño
Palpitante la faz, vivos los ojos,
Vuelve el bizarro mozo y cuál su ceño
Añade gentileza a sus enojos!

Aquellos rizos que en sus hombros flotan
Tirada atrás la juvenil cabeza,
Las venas que en su frente se alborotan,
Su ademán de bravura y ligereza,

Y aquella dama que postrada llora,
Yerta a sus pies y la razón perdida,
Y que azorada y temerosa ahora
Yace temblando a su rodilla asida;

Y en torno de él las levantadas diestras
De sus contrarios del cuchillo armadas,
Con ademanes y feroces muestras
Su muerte a un tiempo amenazando airadas;

En medio aquel desorden y el despojo,
Cuán grande en ardimiento y gallardía
Muestran al mozo que en su noble arrojo
Un genio fabuloso parecía.

(vs. 5316-35)

La descripción de la lucha comienza; Espronceda, alejado ya por completo de las composiciones de batallas de estilo neoclásico, siente un gran placer en esos pasajes de movimiento de una muchedumbre o de una acción; todo termina al oírse gritar justicia: «¡Fatal palabra!». Es la primera que en su vida ha oído Adán y no ha podido olvidarla ni en sueños. La justicia de los hombres tiene para él, para el romántico, una terrible connotación; justicia, juez y verdugo:

Oyó justicia y olvidó a la hermosa
Dama que generoso defendió,
Riquezas, lujo, estancia suntuosa,
Y allá a la calle del balcón saltó.

(vs. 5388-91)

Es su segundo olvido. Los bandidos le han hecho dejar a Salada; la justicia le hace que huya de la condesa de Alcira.

El placer de la vida. La muerte

Al huir sin tino por las calles de Madrid va a dar a una baja casa de prostitución. Sirviéndose de los dos sentidos de siempre («hirió su oído», «vio con sorpresa») se presenta el medio y la escena: choque de vasos y botellas, griterío y canciones, bailoteo, mujerzuelas y hombres más o menos borrachos, todo envuelto en el humo espeso de los cigarros.

Aparece de nuevo la ventana (v. 5429). No es la ventana de la primavera —luz, color, olores y brisa—; es la ventana que da a la tristeza amarillenta y solitaria de la muerte. A través de esa ventana se comunica con la muerte. El tema macabro romántico —esqueletos, panteones, sarcófagos— quiere aprehender el abismo sobrenatural de la nada; Espronceda con su cadáver moderno quiere aislar el corazón del hombre:

Vió con sorpresa que a calmar no atina
De par en par abierta una ventana,
Y en una estancia solitaria y triste
Entre dos hachas de amarilla cera
Un fúnebre ataúd, y en él tendida
Una joven sin vida
Que aun en la muerte interesante era.
(vs. 5428-34)

Espronceda ve en la fijación del cadáver la huella del último dolor de la vida. La agonía ha ido esculpiendo los rasgos últimos de la faz del hombre:

Sobre su rostro del dolor la huella
Honda grabado había
Doliente el alma al arrancarse de ella
En su congoja y última agonía.

Espronceda no puede olvidarse de sí mismo. El Canto a Teresa no puede agotarse en 44 octavas:

Y allí cual rosa que pisó el villano
Y de barro manchó su planta impura
Marcada está la mano
Que la robó su aroma y su frescura.

No importa la conducta de Teresa; es más, es la conducta de Teresa la que hace insoportable el dolor del poeta, porque esa conducta justifica ante el mundo el proceder del hombre. Espronceda no busca una justificación, y mucho menos social. ¿Qué conducta ni qué principio social o trascendente puede justificar el que el deseo sincero y puro con que el hombre se siente atraído por la mujer se convierta no ya en dolor, sino en repugnante fealdad?

Penetra en la casa Adán:

> Llamó luego a la puerta y desfadada
> Una moza le abrió toda escotada,
> El traje descompuesto
> Con desgarrado modo y deshonesto,
> Y entró en un cuarto donde vio una mesa
> Entre la niebla espesa
> De humo de los cigarros medio envueltos,
> Seis hombres asentados
> Con otras tantas mozas acoplados,
> En liviana postura,
> Que beben y alborotan a porfía,
> Y aquél el vaso apura,
> Y el otro canta y, en inmunda orgía,
> Con loco desatino
> Al aire arrojan vasos y botellas,
> Ellos gritando y en desorden ellas
> Y con semblantes que acalora el vino.
> Y aquél perdido el tino
> Tiéndese allí en el suelo,
> Y éste bailando con la moza a vuelo
> A las vueltas que traen
> Tropezando en su cuerpo de repente
> Ella y él juntamente,
> Sobre él riendo a carcajadas caen.
> Bebe tranquilo aquél, disputan otros,
> Brincan aquéllos como ardientes potros
> Que, roto el freno, por los campos botan,
> Y mientras todos juntos alborotan,
> Alguno, con el juicio ya perdido,
> Murmura en un rincón medio dormido.
>
> (vs. 5494-5523)

Este ejemplo de descripción romántica es muy fácil de comparar con los abundantes ejemplos muy parecidos del Realismo, el Naturalismo y el Impresionismo, y notar en seguida la diferencia entre las distintas épocas: diferencias de propósito, de función y, por lo tanto, de procedimiento. Una escena de prostitución de finales del Gótico puede leerse en la *Celestina* y otra del Barroco en el *Coloquio de los perros.*

Una mujer sale a su encuentro, la pregunta de Adán recibe esta contestación: «A las seis se murió».

Es todo lo que se puede decir. Adán entra en la estancia del ataúd, donde está Lucía muerta:

> Reina siempre en redor del cuerpo muerto
> Una tan honda soledad y olvido,
> Tan inmensa orfandad, allí tendido
> Desamparado ya del trato humano,
> Sin voluntad, sin voz, sin movimiento,
> (vs. 5541-45)

En la literatura española, quizá sean éstos los versos en los que se capta por vez primera con sentimiento moderno la muerte. La agonía ha marcado la cara del cadáver con el dolor último. El cuerpo vivo al transformarse en cuerpo muerto se convierte en cosa, cosa que no pertenece a ningún vivo y que inmediatamente se envuelve en la telaraña del olvido. De la soledad hirviente de gusanos del cuerpo muerto, de la soledad de la descomposición, el cuerpo vivo no sabe nada. El Realismo-idealista todavía se mantendrá en esta zona de orfandad y de olvido, pero transformará el anonadamiento desesperado romántico en melancólica resignación.

El hombre abandonado, perdido en la digresión de su vida, trata inútilmente de penetrar en el misterio que le rodea; misterio que, para su asombro, la coexistencia del dolor y el placer subrayan.

Adán descubre la muerte rodeada del estrépito, de la danza y la bulla de la vida en el nivel más bajo, su nivel:

> ...ignoro,
> Nuevo en el mundo aún, lo que es la muerte

confiesa Adán (v. 5601-5602), pero no se resigna a contemplar impotente este espectáculo. Como defendió a la belleza, lo primero que siente su corazón es la necesidad de entregarse sin límites a ayudar a la humanidad a suprimir el dolor:

> «¿Dónde, decidme, encontraré yo fuego
> Que haga a esos ojos recobrar su ardor?
> ¿Dónde las aguas cuyo fértil riego
> Levante fresca la marchita flor?»
> (vs. 5626-29)

Pero ese entusiasmo, esa profunda fe, ese celo sólo despiertan curiosidad —como el cuerpo desnudo sólo dio lugar al tumulto—. La experiencia sabe que lo único que se puede hacer es someterse. La madre queda con el «corazón partido, secos los ojos»; antes, sin embargo, hemos oído los terribles versos en que se expresa el sentido de la culpa siempre presente en el Canto a Teresa:

> ¡Hora fatal, maldita
> Por siempre la hora aquella
> Que el hombre aquél te contempló tan bella!
> (vs. 5659-61)

La sumisión de la madre —«¡El Señor me la dio y El me la quita!»— lejos de doblegar a Adán le sume en la mayor confusión,

> Que no acierta a explicarse el sentimiento
> Que a par que el corazón turba su mente.
> (vs. 5667-68)

El poeta acude a la irritación de su protagonista:

> El Dios ese, que habita,
> Omnipotente, en la región del cielo,
> ¿Quién es...?
> (vs. 5673-75)

Así nos trasladamos a la visión con que comenzaba el poema, mientras Adán, por vez primera, siente

> Del corazón ardiente
> La perpetua ansiedad que en él se esconde.
> (vs. 5692-93)

El poema termina dejando a la humanidad entregada a su confusión y miseria, quizá murmurando una oración, quizá estallando en un juramento. La antítesis romántica no es un conflicto, es la esencia lírica de la vida.

> Y yo tan sólo lo que observo cuento.
> (vs. 5760)

Así termina Espronceda sus poemas. No es la observación de la realidad moral y material circundante, es el haber vivido el dolor metafísico del hombre. Antítesis del alma romántica que la recoge y refleja toda la naturaleza: al lado del chirrido de la rana el canto del ruiseñor, las nubes blancas y las negras sombras. Cuando el mundo no es un caos, el romántico lo organiza de esa forma antitética y sin sentido.

«¿No oís?», «¿No veis?», pregunta el poeta, y vuelve a la digresión para descansar en ella de la

> Senda escabrosa que acabó su aliento.
> (vs. 5804)

La tensión del poema —la tensión de la vida— deja al poeta agotado; esa carrera no tiene fin, el poeta —el hombre— cae como el sol en la confusión tenebrosa. La vida aparece sin sentido y la muerte es la última gota que hace desbordarse al dolor. La muerte romántica no es ese momento de trascendencia cristiana que conduce a la vida hacia el punto decisivo del desenlace, sino un episodio más que aumenta el tumulto y la agitación del frenesí insensato de la vida.

Individuo y sociedad, la oposición constante de la época romántica, que llenará todo el siglo XIX, alcanza el nivel más desesperado cuando llega la muerte, vista como un cadáver —final del Canto a Teresa, final de *El diablo mundo*— que queda flotando en la indiferencia y falta de sentimiento del mundo.

La antítesis romántica —individuo y sociedad— deja reducido el mundo al Palacio y al Burdel. Los refinamientos espirituales, artísticos, industriales y sociales han producido un lujo deslumbrante y el vacío del corazón, el cual sólo parece palpitar en un medio no ya grosero y vil, sino donde el sentimiento no existe. La belleza dormida del palacio se transforma en el cadáver de una joven, que para recordar que ha vivido conserva el sello del dolor.

OTRAS OBRAS DEL AUTOR

Vida y obra de Galdós (Gredos. Madrid, 1974).

Sentido y forma de las *Novelas ejemplares* (Gredos. Madrid, 1975).

Cántico de Jorge Guillén y Aire Nuestro (Gredos. Madrid, 1974).

Sentido y forma de *Los Trabajos de Persiles y Sigismunda* (Gredos. Madrid, 1974).

Sentido y forma del *Quijote* (1605-1615) (Insula. Madrid, 1970).

Sentido y forma del Teatro de Cervantes (Gredos. Madrid, 1974).

Contribución al estudio del tema de Don Juan en el teatro español (Ed. José Porrúa Turanzas. Madrid, 1975).

Espronceda (Gredos. Madrid, 1967).

Estudios sobre el teatro español (Gredos. Madrid, 1967).

Estudios de literatura española (Gredos. Madrid, 1974).

POESIA

Poema que se llama (Málaga, 1967).

Por fin, sin esperanza (Santander, 1971).

Esfumadas lejanías y presentes (Madrid, 1972).